新世紀

第 309 号（2020 年11月）

The Communist

帝国主義打倒！
　スターリン主義打倒！
　　万国の労働者団結せよ！

2020年11月　No.309　目次

今こそ〈反戦反ファシズム〉の炎を！……4

まんが　安倍退治　14

第五十八回国際反戦中央集会　基調報告

米中冷戦下の戦争勃発の危機を突き破る反戦闘争を創造せよ……大内　章文　16

〈中国主敵の日米軍事一体化の実態〉

新「宇宙基本計画」　39／自衛隊「宇宙作戦隊」　41／空飛ぶ殺人ロボット　43／陸自「電子戦」部隊創設　45／米海兵隊を再編　48

「社会主義現代化強国」への猛進　――中国全人代が示したもの――……青島　路子　54

福島第一原発　トリチウム汚染水の海洋放出を阻止せよ……97

六ヶ所村再処理工場　原子力規制委の「新規制基準」適合決定弾劾……101

新世紀

日本革命的共産主義者同盟 革命的マルクス主義派 機関誌

〈パンデミック恐慌〉下の解雇・賃下げ攻撃を打ち砕け …… 64
苛酷な労働を強制――厚労省「保健所改革」 …… 高村 育 74
郵政「コロナ感染予防対策」の欺瞞 …… 駒形 大 78
かんぽ保険早期営業再開のために労働者に重犠牲 …… 浅口 明央 85
労働強化への怒りに燃える教育現場 …… 城向 進 89
化学独占資本家による労働者への犠牲転嫁 …… 山川 翠 92

対象認識と価値意識または価値判断 …… 太宰 郷子 104

黒田寛一著作集の刊行にあたって 黒田寛一著作集刊行委員会 116

Overseas Appeal for the 58th International Antiwar Assembly in Japan …… 155
Messages from Foreign Friends to the 58th International Antiwar Assembly …… 147
◈国際・国内の階級情勢と革命的左翼の闘いの記録（二〇二〇年六月〜七月） …… 156

今こそ〈反戦反ファシズム〉の炎を！

労学両戦線から総決起せよ！

菅新政権の反動攻撃を打ち砕け

（1）

二〇二〇年九月十四日の自民党総裁選挙・十六日の国会での首相指名選挙をつうじて、菅政権が誕生しようとしている。安倍ネオ・ファシスト政権の官房長官を務めた菅義偉を首班とするこの新政権は、これまでにもまして強権的＝軍事的支配体制を一段と強化しようとするにちがいない。

このときに際して、わが同盟は、すべての労働者・学生・人民に呼びかける。菅新政権がふりおろす一切の反動諸攻撃を打ち砕くために、いまただちに

この政権は、安倍晋三の惨めなノックダウンをまえに周章狼狽した自民党幹事長・二階俊博らに担ぎあげられてつくりだされた。

菅は、安倍前政権の官房長官として、七年八ヵ月

にわたって前首相・安倍とともにネオ・ファシズム反動攻撃のかぎりをつくしてきた張本人にほかならない。巨万の労働者・学生の反対闘争を踏みにじって強行した特定秘密保護法、「安保基本法」＝侵略戦争法の制定。沖縄の労働者・学生の反基地闘争にたいする強権的弾圧をふりおろしながら強行してきた辺野古新基地建設。そして、資本家階級に莫大な富をもたらした「アベノミクス」の推進。労働者階級・人民を「非正規雇用」をはじめとする雇用形態に突き落とし、耐え難い貧窮を強いてきた労働諸法制の改悪。さらには、森友、加計、桜、ＩＲなどの数かずの安倍にまつわる疑獄とそのもみ消しのための公文書改ざんをはじめとする数かずの犯罪……。まさにそれらは、傲岸と専横を極めてきた安倍を頭とするＮＳＣ専制体制の巨悪にほかならない。こうした安倍を頭とする政権の数多の反人民的な所業をことごとく官房長官として実質的に主導してきたのが、菅なのだ。

たたかう労働者・学生は、菅日本型ネオ・ファシズム政権にたいする断固たる闘いを巻きおこせ！

（2）

首相であった安倍は、ＮＳＣ専制体制にもとづいて極反動攻撃を重ねた挙げ句の果てに、労働者・人民の怒りに包囲されて顔面蒼白となり、またもや政権を不様に投げだした。新型コロナ・パンデミックのもとで、デタラメなコロナ対策と独占ブルジョア救済のための「緊急経済対策」とによって、労働者・人民を困窮のどん底に突き落としてきたのが安倍であった。この安倍の政権にたいする労働者・人民の積もりに積もった怒りの爆発に追いつめられ、安倍は、完全にノックダウンにたたきこまれたのだ。「潰瘍性大腸炎がひどくなったため」などというのは、それをおし隠すための口実にすぎない。

「政権投げだし」に安倍が追いこまれたのは、安倍政権が労働者・人民の怒りで包囲されたからにほかならない（支持率の急降下に示されるように）。そして、こうした労働者・人民の「安倍長期政権」

への怒りをつくりだしてきたのは、コロナ対策・経済対策の反人民性を満天下に暴きだしたわが『解放』による「紙の弾丸」のぶちこみと、七年八ヵ月にわたってつねに〈反戦・反ファシズム〉の闘いの先頭にたってきた全学連の闘いなのだ。

まさにこうした労働者・人民の怒りが自民党政権そのものへの怒りに高まったことに恐怖したがゆえに、自民党幹事長・二階を筆頭とする各派閥（二階派・細田派・麻生派・竹下派など）の領袖は、安倍前政権の中枢にいた菅を「ショート・リリーフ」の首相として担ぎあげ、自民党政権の延命のために狂奔しているのだ。われわれは、すべての労働者・学生・人民に、政治的な危機の乗り切りをかけた自民党政府・権力者どもの一切の策動を粉砕する闘いに起ちあがることを呼びかける。

（3）

菅こそは、反動政権をその中枢で取り仕切ってきたネオ・ファシストであって、この政権が日本型ネオ・ファシズム支配体制を一段と強化することは火を見るよりも明らかではないか。

「自助・共助・公助」などというのは、ファシズム的な滅私奉公の精神そのものなのだ。それは「国家に助けてもらうのではなく、まずは自分でやるべき」などという菅の言辞にむきだしになっているではないか。安倍前政権による独占資本救済のための「緊急経済対策」の実施によって、そしてまた資本家どもの解雇攻撃・賃下げ攻撃によって、数多の労働者・勤労人民が困窮のどん底に突き落とされている。年末にかけて、労働者の貧窮はいっそうすさまじくなる。このときに「自助」をがなりたてることは、菅政権が「コロナのもとで、貧しき民は国家を頼らずのたれ死ね」というネオ・ファシストの棄民政策をとることの公然たる宣言にほかならない。

菅は、消費税のさらなる大増税という大衆収奪を一挙的に強化する企みをもむきだしにした。この輩の唱える「デジタル庁」創設、それは人民監視体制強化と独占資本の意を体した「経済のデジタル化」のための反動攻撃なのだ。もはや明らかではないか。菅政権を打倒することは、日本労働者・人民の任務なのだ。

われわれは、＜パンデミック恐慌＞下で労働者・人民に犠牲を強制する菅政権の一切の攻撃を粉砕するために、政治経済闘争の大爆発をかちとろうではないか！

さらに首相・菅は、一朝事あれば、米軍とともに日本国軍が敵国とみなした国家（北朝鮮や中国）の「基地」に先制攻撃をおこなう軍事システムの構築にも突進しようとしている。そのために菅政権は、「自分の国は自分で守るように米国製の兵器を買え」と迫るアメリカのトランプ政権の要求にこたえて、労働者・人民から搾りとった血税を湯水のように注ぎこんで米国製兵器のさらなる爆買いに踏みだそうとしているのだ。

菅政権は、アメリカと中国との戦火がいつ噴きあがってもおかしくないような＜米中冷戦＞のもとで、対中攻守同盟たる日米新軍事同盟を飛躍的に強化しようとしている。まさにそれは、「安保の鎖」で締めあげられた「属国」として、アメリカのトランプと心中する道いがいの何ものでもない。

われわれは、菅政権がたくらむ憲法第九条の改悪と緊急事態条項の創設という憲法大改悪の攻撃を木っ端微塵に粉砕する反改憲の闘いとともに、敵基地先制攻撃の軍事体制構築や南シナ海への日本国軍の出兵を阻止する反戦反安保闘争の大爆発をかちとるために、いまこそ起ちあがろうではないか！

すべての労働者・学生・人民は、＜反戦・反ファシズム＞の闘いに起て！　全戦線からの壮大な階級的な闘いを創造せよ！　そして、菅日本型ネオ・ファシズム政権を打倒することをめざして前進せよ！

（二〇二〇年九月十五日）

安倍政権の犯罪―七年八ヵ月の暗黒政治を暴露せよ

貧窮人民見殺しの新型コロナ対策の犯罪を弾劾

この七年八ヵ月にわたって日本型ネオ・ファシズム支配体制の長として君臨してきた首相・安倍が、ついに政権を放りだした。人民の高まる政権批判と首相・安倍のダウンに顔面蒼白となった自民党の領袖どもは、この危機をなんとしてものりきるために、安倍政権の中枢で官房長官を務めてきた菅を担ぎだした。このマキャベリスト菅は、安倍政治を継承するにとどまらず、日本の支配体制の政治的・軍事的強化にいよいよ突進するであろう。

ここでは安倍と菅がおこなってきた数かずの犯罪を、とりわけ新型コロナパンデミックのもとでのそれについて、今一度暴露しておこう。

新型コロナウイルスの蔓延下で安倍政権がうちだした感染防止策にその反人民性はあらわとなった。政府・厚生労働省は、感染拡大の当初、国威発揚の儀式＝東京オリンピック・パラリンピックの「中止」を回避するために、ＰＣＲ検査(ウイルス遺伝子検査)を極力抑制し〝感染者隠し〟に狂奔した。病床の確保も医療体制の構築もすべて保健所・自治体に丸投げしてきた。「医療体制は逼迫していない」という嘘八百を垂れ流し、防護服・医療用マスクの不足を訴える医療機関・医療労働者への物資支援も財政援助もことごとく放棄してきたのが、安倍政権なのだ。

この政権は「緊急事態宣言」発令下、困窮する労働者・人民の生活補償も、中小・零細企業への救済措置もおこなわず、「外出自粛」「休業要請」を強制した。人民にたった一回きり「一〇万円の特別給付金」を、数ヵ月も後に支給しただけだ。労働者は解雇・失業を強制され、仕事も収入も住居も奪われ生活破綻に追いこまれた。廃業・倒産の危機にあえぐ中小・零細企業への雇用調整助成金は審査が厳しく支給が遅く額もわずかだ。消費税税率一〇％への引き上げ、社会保障切り捨てによって極貧の底にたたきこまれている労働者・人民をさらに踏みつけにしたのが、安倍＝菅政権なのだ。

この政権がもっぱら血道をあげたのは、大企業独占体へのあらゆる保護・救済策にほかならない。安倍・菅は、総計一三〇兆円もの公的資金を投入しての資金繰り支援、日銀やＧＰＩＦ（年金積立金管理運用独立行政法人）による株式購入と株価のつりあげ、社債・コマーシャルペーパーの二〇兆円もの買い取りなど、まさに独占資本のための政府としてのブルジョア階級性をむきだしにした諸政策に狂奔したのだ。

そもそも安倍政権の「アベノミクス」や「働き方改革」じたいが、日本資本主義の生き残りのために、労働者に一切の犠牲をおしつける施策にほかならない。新型コロナの蔓延のもとで、資本家からまっ先にクビを切られ餌食にされたのが非正規雇用労働者たちであった。

それだけではない。医療崩壊の危機の深まりのもとで、高齢者・病弱者を無慈悲に切り捨て、困窮する労働者・人民を見殺しにしてきたのが、彼らなのだ。経営危機に陥った企業・店舗の相次ぐ倒産・廃業にたいしても、「弱小企業は淘汰されてよい」と言わんばかりの諸政策をとったのだ。

これらに貫かれている思想は、弱肉強食・優勝劣敗の社会ダーウィニズムであり、これこそネオ・ファシスト安倍のイデーにほかならない。

まさにこのような反人民性を赤裸々にする安倍政権への怒りに燃えて、われわれは安倍のどてっ腹に〃批判の弾丸〃をぶちこんできた。

こうして人民の怨嗟と憎悪の的となってきた首相・安倍は、不支持率急上昇に見舞われ気力さえも完全に阻喪し、第一次政権の放りだしと同様にまたしても政権を投げだしたのだ。八月半ばに慶応大学病院での検査の車列をわざわざマスコミに流し「体調悪化」をアピールしたのは、まさにこうしたおのれの政権投げだしを糊塗するためのものにほかならない。

こうした安倍政権の末期症状をまえにして既成指導部はおしなべて安倍政権にたいする政策対置しかなしえず、日本共産党にいたっては「安倍政権打倒とは言いません」などと公言するありさまであった。こうした腐敗を弾劾しのりこえ、われわれは安倍政権の反動攻撃を粉砕するためにたたかいぬいてきた。

われわれは、安倍政権の反人民性を暴露し、その犯罪を満天下に知らしめてきた。わが同盟と革命的左翼の闘いによってわきあがった労働者・人民の怒りに包囲され、安倍政権はついに最期的倒壊に追いこまれたのである。

改憲阻止・反戦反安保の闘いを創造

わが同盟と革命的左翼は〈憲法改悪阻止・日米新軍事同盟強化反対〉の闘いを戦闘的に高揚させ、〈軍国日本〉再興をもくろむ安倍の憲法改悪の野望を完全に打ち砕いた。

「集団的自衛権行使の合憲化」(二〇一四年)、「侵略戦争法」(一五年)、「特定秘密保護法」(一三年)や「共謀罪法」(一七年)――これらの「アメリカとともに戦争する国」をつくりだすための極反動法の制定を相次いで強行したのが、安倍日本型ネオ・ファシスト政権なのだ。

安倍は「第九条破棄」を核心とする憲法改定を実現するために、一七年五月には「二〇二〇年中の改定憲法の施行」をブチあげ、衆参両院の憲法審査会での審議再開をくりかえし画策した。新型コロナ感染拡大のもとで、この「緊急事態」にかこつけて緊急事態条項をもりこんだ改憲に弾みをつけることを策動したのであった。

この安倍ネオ・ファシスト政権の「戦後レジームの一掃」を悲願とする一大反動攻撃を阻止するために、わが革命的左翼は仁王立ちになって奮闘し、安倍の改憲策動を木っ端微塵に打ち砕いた。全学連やたたかう労働者は、戦争法反対・憲法改悪阻止の闘い、そして辺野古新基地建設阻止の闘いに決起した。

万余の労働者・人民の最先頭にはつねに全学連の深紅の旗が翻った。たたかう労働者たちは職場深部で反安倍政権の声を広範にねばり強くつくりだした。日共・不破＝志位指導部の議会主義的闘争歪曲をのりこえるかたちで、われわれは安倍政権の改憲・安保強化を粉砕する闘いを領導した。まさにわが闘いこそがネオ・ファシスト安倍の改憲の策動を粉砕したのである。

ＮＳＣ専制体制強化の策動を粉砕

わが革命的左翼は、森友・加計疑獄、「桜を見る会」問題、河井克行・案里の選挙違反＝買収工作など、安倍その人が深く関与した数かずの疑獄事件とそのもみ消し策を徹底的に暴露し、疑獄弾劾の闘いを労働者・人民の最先頭で推進してきた。

安倍は本二〇年春に、みずからが関与した数かずの疑獄事件の捜査を打ち切らせるために、子飼いの東京高検検事長(当時)の黒川弘務を検事総長に据えることをもくろんで検察庁法の改定を策した。

この疑獄まみれの安倍政権に全国から憤激が巻きおこった。国会審議のまっただなかであり「緊急事態宣言」の延長が決定された直後の五月八日に、全学連のヘル部隊が厳戒態勢を突き破って首相官邸前に決起し、安倍政権の「コロナ対策」の反人民性を弾劾し「検察庁法改定粉砕・安倍政権打倒」の鬨の声をあげた。まさにこうした闘いによって安倍政権を追いつめたのだ。

安倍がこうした数かずの国家犯罪に手を染めそして握りつぶしてきたのはいったいなぜか。安倍政権は、行政上の諸権限を首相直轄のＮＳＣ(国家安全保障会議)に集中し、ＮＳＣ専制の強権的支配体制(日本型ネオ・ファシズム支配体制の今日的姿態)を創出しうち固めてきたからにほかならない。

安倍政権は「内閣人事局」を創設し(一四年)、これに各省庁幹部の人事権を集中して、各省庁にたいする支配統制を飛躍的に強化してきた。このことを実体的根拠としてＮＳＣ主導の安倍政権は、各省庁官僚・機関を操り、疑獄もみ消しのために公文書の廃棄や書き換えを強制してきたのだ（森友疑獄事件での近畿財務局の公文書書き換えなど）。安倍が日本型ネオ・ファシズム支配体制を首相＝ＮＳＣ専制というかたちでよりいっそう強化してきたことが根本なのだ。このことをわれわれは満天下に暴きだし、〈反ファシズム〉の旗幟も鮮明にたたかってきたのだ。

米中冷戦下での日米新軍事同盟強化・憲法改悪を許すな

安倍は辞任会見において「敵基地攻撃能力」を保持するなど「ミサイル阻止にかんする新たな方針」なるものを速やかに「具体化する」などとほざいた。北朝鮮の変則軌道ミサイル攻撃や中国の「飽和攻撃」（大量一斉のミサイル攻撃）を阻止するためと称して、敵国への先制攻撃をなしうる日米共同の軍事体制の構築に狂奔しているのが、安倍を頭としてきた自民党政権なのだ。〝日米安保同盟の鎖〟にしばられているこの政権は、米・日・豪三国の対中国軍事包囲網を構築するためにこそ、東シナ海などにおける軍事演習を連続的に強行してきた。

八月二十六日、中国軍は中距離ミサイル四発（いわゆるグアムキラーと空母キラー）を、青海省と浙江省とから、この七～八月に米・中が相互対抗的に空母などをくりだして実戦的な演習を連続的に強行してきた南シナ海にむけて発射した。中国・習近平政権は、アメリカが新型コロナ感染爆発に見舞われているこの機を狙って、南シナ海の支配をうち固め、さらに東シナ海から西太平洋にまで中国海軍の行動範囲を広げ、制海権確保に突進しているのだ。

トランプ政権は、強大化する中国軍に対抗するために、米軍中距離ミサイルの日本配備の受け入れ、新たなミサイル防衛システムの導入、「敵基地攻撃能力保有」の名による日本国軍の対中国・対北朝鮮の先制攻撃体制の構築、これらを安倍政権にゴリ押ししてきた。菅・二階・河野ら安倍政権・与党の中枢を担ってきた輩は、トランプの忠犬としてアメリカ権力者の要求をことごとく受けいれようとしているのだ。

いまや、中国の対米挑戦を起動力として、東アジアの軍事的緊張が極限的に高まっている。敵基地先制攻撃の軍事体制構築反対、米軍中距離ミサイルの日本配備反対、東アジアの戦争的危機を打ち破る反戦反安保の闘いを、平和ボケした既成反対運動指導部をのりこえ断固として創造するのでなければならない。

東アジアにおいて戦争的危機が高まる情勢のもとで、「連合」指導部を牛耳る労働貴族どもは反戦の闘いを一切とりくもうともしない。彼らは、みずからの支配する産別・単組においては、反戦平和や原発反対のとりくみをことごとく抑圧している。「連合」としてのとりくみを徹底的に抑制してきたのが、神津里季生・相原康伸の「連合」執行部だ。

こんにちこのとき、立憲民主と国民民主の新党づくりをめぐって、「連合」を牛耳る旧同盟系の右派労働貴族どもは、新党の綱領から「原発ゼロ」を削除せよ、などとゴリ押ししているほどなのだ。自民党政権の安保・防衛政策、エネルギー政策に唱和する労働貴族を弾劾しよう！

日共・不破＝志位指導部は、わが革命的左翼に牽引された労働者・人民の闘いが安倍を辞任に追いこんだこのときにも、相も変わらず「市民と野党の共闘」「野党連合政権の樹立」を叫んでいる。他の野党との「共通政策」を練りあげるために基本政策の右翼的緻密化に腐心している。「連合政権」では「日本有事」にさいしては「日米共同作戦」を是認するなどとほざいているのが、志位和夫・小池晃ら代々木中央だ。東アジアの戦争的危機をおよそ感覚することなく、労働者・人民の反戦反安保の闘いを創造する意志も気力もないのだ。

すべての労働者・学生諸君！　日本型ネオ・ファシズム政権のウルトラ反動攻撃を打ち砕くためにさらに奮闘しよう。日米新軍事同盟の飛躍的強化反対！　米軍中距離ミサイルの日本配備反対！　敵基地先制攻撃の軍事体制構築反対！　憲法改悪阻止！　＜パンデミック恐慌＞下での労働者・人民への犠牲強制を許すな！　既成指導部の闘争抑圧と歪曲を弾劾し労働者・学生の力を結集してたたかおう！

KAIKEN GO
最大限に
ふかしていく
この道を、力強く、前へ
3分の2 ゲット!
おもてなし
完全にブロック
アンダーコントロール
TOKYO
アベはヤベ〜
ケンカに強い アソウさんと歩いていたら
三人の不良に オバマさんが 手をやいていた
助けなくていいのか
こっちにも ガンをとばされたので
存立危機事態
いっしょになって
三途の川も金次第
人文社会科学系は つぶしてしまえ!
ムダづかいで つよくなる 軍国日本 ひとつぶで 3000億円
愚理工
朝日 毎日 東京 みんな つぶしてしまえ!
沖縄の2紙
反省だったら サルでもできる
反省のポーズ
日本よい国 強い国 世界で一番 偉い国
南京大虐殺 なんてデッチアゲ 東京裁判は米軍の 東京大空襲や原爆 投下による大虐殺を ごまかすためだ!
この道をまっすぐ
改憲
9・4 大阪 元国交相 冬柴の次男と 会食
9・4 大阪 読売テレビ 出演
アノ案件は 格安にしろよ うまくヤレ!
9・3 官邸 財務省理財局 長らと面会
出てきたゴミは 今は埋めもどせ
9・5 安倍昭恵が 名誉校長就任・講演
Hey! カモン

安倍退治

日本民族
一億総玉砕
対テロ戦
対中国戦に
突っこめェ～
この体感!
よい子ののりもの
戦争のできる国
富国強兵
殖産興業
あの時代にもどすのね
残業代ゼロ!
24時間運行
過労死、許せない!
超長時間
左利き
カムは～
私の
私の
全然流れないねェ～
国会前を使えなくしてやる
ファシズム反対!
うらめし矢
異次元のたれ流し
食べ放題
おかわり自由
イアンフ
ナンキン
ヤスクニ
ハンセイ
三角ドウメイ
高級焼肉店と聞いたのにやけにケムイな……
100万円
教育勅語
ススメ ヘイタイ
忠君
蝶のように舞い、蜂のように…いや
革マル派のように刺す!
安保粉砕
改憲阻止!
アベノミクス粉砕
反ファシズム
統一戦線を
構築せよ!
労組破壊を
許すな!
労働法制改悪反対!
改憲阻止!
安保破棄!
全基地を
撤去しろ!

第五十八回国際反戦中央集会　基調報告

米中冷戦下の戦争勃発の危機を突き破る反戦闘争を創造せよ

大内章文

国際反戦集会に結集された労働者・学生のみなさん！　集会実行委員会を代表して私は訴える。

全世界を覆う新型コロナウイルスのパンデミック（世界的大流行）と、経済破局との相乗的な進行――このかつてない事態のなかでわれわれは、労働者・人民に困窮を強いる政府・支配階級の攻撃をうちくだく闘いを、そして〈米中冷戦〉下でさし迫る戦乱勃発の危機を突破する反戦闘争を、労学両戦線から断固として創造してきた。今日、ここに結集したわれわれは、わが闘いのさらなる爆発にむけた総決起集会として、本集会をたたかいとろうではないか！

おりしもここ、首都・東京はまさに感染急拡大の状況下にある。昨日（二〇二〇年八月一日）には一日の感染確認者数が過去最多の四七二人に達した。また大阪、愛知、沖縄、全国いたるところで感染が拡大し、医療崩壊の危機がさし迫っている。そのただなかで、だが安倍政権はいったい何をやっているのか！　首相・安倍晋三は、一月半にわたって記者会見も開かず、国会の閉会中審査にも出てこない。この安倍を頭とする政権は、コロナ対策については自治体と医療機関に丸投げし、みずからは「医療現場は逼迫していない」と白を黒と言いくるめながら、完全に無対応を決めこんでいるではないか。

　しかも、この政権は、資本家どもの解雇・雇い止めの大攻撃によって貧窮にたたきこまれたあまたの労働者・人民を、文字通り見殺しにしつづけている。それでいてこの政権は、大手旅行資本と鉄道・航空資本ばかりを救済する「Ｇｏ Ｔｏ トラベル」なるものについては、予定を前倒ししてまで実施したのである。

　いまや安倍政権は、わが革命的左翼を先頭とする労働者・学生の怒りに包囲され、完全にレイムダックとなっている。そうでありながらもこの政権はいま、日米新軍事同盟にもとづいて対中国・対北朝鮮の臨戦態勢づくりに狂奔している。南シナ海においての米中の一触即発の危機が切迫しているなかで、

〈目　次〉

Ⅰ　〈米中冷戦〉へと急旋回した現代世界
A　東アジアにおける米―中の軍事的激突
B　世界の覇権をかけたネオ・スターリン主義中国と没落帝国アメリカとの激突
C　世界的戦乱勃発の危機
Ⅱ　ガタガタ安倍政権の反動攻撃
A　「敵基地攻撃能力」保有への突進と憲法改悪の策動
B　〈パンデミック恐慌〉下で人民に犠牲を強制する独占資本家どもと安倍政権
Ⅲ　革命的反戦闘争の大爆発をかちとれ！
A　革命的左翼の真価を発揮した今春期の闘いにふまえ、さらなる前進を！
B　〈反安保〉を完全に放棄した日共式反対運動をのりこえたたかおう
C　反戦反安保・改憲阻止の闘いを推進せよ
D　安倍日本型ネオ・ファシズム政権打倒！　万国の労働者は団結し全世界の権力者を打ち倒せ！

〃自衛隊を南シナ海にもっと出せ〃というアメリカ帝国主義トランプ政権の要求に積極的に応えようとしているのだ。しかも、「日本は盾だけでなく矛を持たなければならない」(安倍)とほざいて、米軍と自衛隊が一体となって「敵」基地に先制攻撃をくわえうる軍事力の構築に躍起になっているのだ。

すべてのみなさん！　労働者・人民をどこまでも踏みつけにしながら改憲・軍事強国化に狂奔する安倍政権、この日本型ネオ・ファシズム政権をわれわれは、いまこそ、労働者・学生の総力で打倒しようではないか！

Ⅰ　〈米中冷戦〉へと急旋回した現代世界

A　東アジアにおける米―中の軍事的激突

まさにいま、ここ東アジアの情勢は激しく転変している。中国の習近平政権による、香港「国家安全維持法」の制定・施行と人民大弾圧。そしてこのことそのものに示された、台湾を早期に「統一」するという北京官僚の野望の前面化。さらに、第一列島線を越えて西太平洋を〃中国の海〃にするための猛突進。――これら一気呵成の策動にうってでた習近平政権と、これをおしかえそうとあがくアメリカ・トランプ政権との政治的・軍事的角逐が、激しさを増しているのだ。

この米―中の軍事的角逐の焦点をなしているのが南シナ海である。習近平中国は、「中国の赤い舌」とも称される南シナ海「九段線」の内側を、中国の〃軍事拠点〃として一挙に固めようと狂奔している。周辺諸国の反発もおかまいなしに、南沙・西沙諸島に「行政区」を設置した(四月)だけではない。アメリカや日本などの戦闘機が入ってきたら「撃ち落とす」というかまえを示すために、「九段線」の内側に「防空識別圏」を設定する準備にも入った。また海軍の大規模な軍事演習をたびたび強行しているのだ。

第58回 国際反戦集会
米中冷戦下の戦争・改憲の危機を突き破る反戦闘争を闘おう!
全学連
第58回国際反戦中央集会（2020年８月２日、東京・なかのＺＥＲＯ）

これにたいしてアメリカ・トランプ政権は、「南シナ海における『中国の海洋権益』主張は不法」（七月十三日、国務長官ポンペオ）と叫びながら、中国軍が領有を主張する島々の間近に空母機動部隊を送りこんだり（七月には二つの空母機動部隊が、二度にわたり南シナ海に突入）、また同盟国（オーストラリアと「属国」日本）の軍をひきずりこんで合同軍事演習を強行したりしている。

トランプ政権は七月二十八日から二十九日にかけて、オーストラリアのモリソン政権とのあいだで外相・防衛相会談（２プラス２）を開催した。ここにおいて両国権力者は中国の「侵略を抑止するための軍事協力」なるものを宣言した。またトランプ政権はモリソン政権にたいして、米軍がたびたび強行している「航行の自由作戦」なるものにならって「中国の構造物の周囲十二海里以内を航行せよ」と迫りさえした。この米豪軍事協力をいわばモデルケースにしてトランプ政権は、「属国」日本の安倍政権にたいして、オーストラリア権力者を見習えとばかりに、日本国軍を南シナ海にさらに本格的に送りこむことを迫ってくるにちがいない。
まさにいま、南シナ海において、ここを軍事拠点化せんと前に出た中国の軍と、これを阻もうと焦るアメリカおよびその同盟国の軍がいつ・なんどき激突し、戦火が噴くかもしれない危機がさし迫っているのである。

南シナ海を実質的にみずからの〝内海〟化した中国権力者は、このことにふまえて、「第一列島線」(南西諸島から台湾をへてフィリピンにいたる線)の向こう側=西太平洋をば中国軍が自由に展開しうる海たらしめるための策動に拍車をかけている。「第一列島線」のすぐ内側に位置する尖閣諸島、中国が「核心的利益」とみなすこの尖閣諸島を日本から奪取せんとする攻勢を一気に強めていることがそれである。中央軍事委員会直属の中国海警局に属する中国公船が、すでに一〇〇日以上連続で尖閣の「接続水域」に侵入している。海警局は最近では機関砲を搭載した大型船をも頻繁に投入し、また――以前はたんに周辺海域を航行するだけだったのが――いまや「ここは中国の領海だ」などとアナウンスしながら日本の漁船を追い回したたき出す、ということもおこなっている。明らかに、尖閣奪取の策動を中国権力者はエスカレートさせているのだ。これにたいしてトランプ政権は、「尖閣諸島は安保条約の適用範囲」などとあらためて明言しつつ、とりわけ尖閣諸島の目と鼻の先たる沖縄の米軍部隊に対中国の即応態勢を恒常的にとらせている。

「国家安全維持法」の強行的制定から一ヵ月あまりを経た香港においては、北京政府の命をうけた香港政府が、九月に予定されていた立法会選挙を、「コロナ対策」を口実にして一年延期するという強硬措置にうってでた。この時間的猶予のうちに「国安法」に反対する運動をたたきつぶし、そしてまた「香港独立」とか「天滅中共」とかをかかげる者を根絶やしにすることを目論んで、「国家安全維持公署」(「国安法」にもとづいて香港に設置された北京直属の治安機関)の指揮のもとに、香港人民にたいする大量逮捕・投獄の凶暴な攻撃をうちおろしているのだ。まさに北京官僚どもは、労働者・人民の闘いをねじふせ北京の強権支配のもとに彼らをくみしくために、香港「一国二制度」を最後的に抹殺したと言わなければならない。スターリニスト官僚の反人民性をあらわにしたこの蛮行を、断固として弾劾せよ！

　習近平政権が香港「国家安全維持法」をおしとおしたことをまさに導火線にして、「一国二制度方式での中台統一」を断固として拒絶する蔡英文(民進党)の台湾、この台湾をめぐる米中の角逐がいやましに激化している。「核心的利益」とみなす台湾の国家的統一をなんとしても早期に実現せんとする中国と、これを許すまいと蔡英文政権への軍事的・政治的テコ入れ（武器援助など）を強化するアメリカとが激突しあっているのである。米中両軍は台湾付近で爆撃機や戦闘機を飛ばすデモンストレーションを交互にくりかえしているのであって、台湾海峡は南シナ海とならんで一触即発の危機的状況下にあるのだ。

　尖閣諸島の「領有」、さらに台湾の「統一」に中国権力者が狂奔するのは、軍事面からいえば、「第一列島線」上に位置する台湾と・この線のすぐ手前にある尖閣諸島とを、軍事的に最重要の要衝とみなしているからである。「第一列島線」を抜けて西太平洋に入ると、水深が急に深くなる。したがって、米原子力空母を撃沈することのできる原子力潜水艦を、アメリカが探知できない海の底深く潜航させることができるのである。

現状では、中国の原潜が西太平洋に入るためには、第一列島線上に並ぶ島々のあいだの海を通らなくてはならないが、この線上の海はどこも水深が浅く米軍や自衛隊の対潜哨戒レーダーに簡単に見つかってしまう。だが第一列島線上およびその付近の島に中国軍の軍事拠点を設けるならば、ここから一挙に西太平洋の深海深く原潜を潜りこませることができるのであって、米軍の「力の象徴」と呼ばれる原子力空母が簡単には中国に近づけなくなるのである。だからこそ中国権力者は、そのような軍事拠点の構築に躍起となっているのである。

B　世界の覇権をかけたネオ・スターリン主義中国と没落帝国アメリカとの激突

まさに以上のような、ここ東アジアを焦点とするアメリカと中国との政治的・軍事的角逐は、現下のパンデミックのもとで現代世界がいつ火を噴くともしれない〈米中冷戦〉へと転回したことを如実に示している。その能動的な実体は明らかに、習近平を国家主席とするネオ・スターリン主義国家中国にほかならない。

トランプのアメリカは、世界最悪の新型コロナ感染爆発にみまわれ、経済的破局にたたきこまれている。パンデミックに直撃されたこの軍国主義帝国の断末魔をば決定的な好機ととらえて、「社会主義現代化強国」として屹立するという国家目標（習近平のいう「中国の夢」）を実現すべく、アメリカを一挙に抜きさるための総攻勢にうってでたのが中国権力者なのである。香港人民の闘いをふみつぶし「国家安全維持法」の制定を強行した北京官僚どもの暴虐こそは、右のようなドス黒い「夢」にむかっての攻勢開始の号砲にほかならない。

ここに、新たな大戦勃発の危機をさえはらむ〈米中冷戦〉へと世界が旋回したのであって、これこそは新型コロナ・パンデミックのもとではじまった現代世界の大地殻変動なのだ。――このようにとらえ、そして断固たる反戦の闘いをまきおこしてきたのは、もちろん、二〇〇四年に〈米―中新対決の時代〉の幕開けを喝破した同志黒田寛一の洞察に学びつつ時代の鼓動を読んできたわれわれだけなのである。

北京官僚どもは三月末時点(武漢の都市封鎖解除の直前)で、アメリカから世界の覇権をもぎとる策動にうってでることをあからさまに誇示したのであった――「新型コロナウイルスがアメリカの世紀を終わらせた」(中国共産党の御用メディア『環球時報』の三月三十一日付社説)と。実際、この三月末を期して中国権力者は、アメリカにたいする国際的包囲網をつくりだすために、「一帯一路」経済圏にくみこんだアフリカ、アジア、中東、ヨーロッパの諸国家政府にたいして、マスク・人工呼吸器・医師団などの〝医療支援〟を大規模におこないはじめた(通称「マスク外交」)。こうした〝医療支援〟をテコとして中国権力者は、これら諸国との経済的関係を強化したり、あるいは国際政治場裏で当該国政府を中国政府の主張――〝台湾をWHO(世界保健機関)に参加させようとするアメリカにたいして反対せよ〟とか〝ウイルスの発生源については詮索するな〟とかのそれ――に従わせたりしてきたのである。

まさにパンデミックを利用して親中国の諸国家グループを拡大させた中国権力者は、これを背景にして「膨張主義」的な諸策動を一挙的に強化した。南シナ海の軍事拠点化への突進、尖閣諸島「領有」策動。台湾「統一」の野心の前面化。インドにたいしても、中印の国境が未画定のカシミール地方で中国が〝領土拡張〟にのりだし、現地のインド軍と中国軍とが激突した(インドとの国境紛争で四十五年ぶりに死者を出した)。ヒマラヤの小国・ブータンの東部を領有しようとする策動も開始した。

こうした中国の政治的・軍事的の一大攻勢に直面し、守勢にたたされながらもまきかえしに躍起となっているのがアメリカ帝国主義のトランプ政権である。

この政権の国務長官ポンペオは、七月二十三日にカリフォルニア州の「ニクソン記念館」で演説をおこなった。そこでポンペオは、歴代米政権がとってきた「(対中国)関与戦略」――〝資本主義化がすすめば中国は「民主化」するはずだ〟という夢想にもとづいて、中国との貿易・投資を強化したり、またＷＴＯ（世界貿易機関）に中国を加えたりしたことをさす――を「中国に利用されただけだった」「失敗だった」と断じ、習近平を「全体主義イデオロギーの信奉者」と烙印した。そして、「中国共産党の覇権の野望」をうちくだくための「民主主義国の同盟」を構築すべきだ、アメリカとともに「自由を守る」ために「行動」すべきだ、などと叫びたてたのであった。明らかにこのポンペオ演説は、中国の攻勢をまえにしたアメリカの、新たな対中国戦略の提示という意味をもっている。

もっとも、「民主主義国の同盟」などと言ったところで、トランプのアメリカについてくるのは「ファイブ・アイズ」（機密情報を相互にやりとりするアングロ・サクソン系五ヵ国の枠組み）にぞくするオーストラリア・イギリスと、「属国」日本の安倍政権くらいのものである。そもそも、このかん「自由・民主主義」のボロ旗を投げ捨て、「アメリカ・ファースト」まるだしの行動によってみずから国際的孤立を招き寄せてきたトランプ政権が、いまになって「自由主義国はアメリカとともに行動を起こすときだ」などとわめきたてている。このことそれじたいが、全世界で野蛮と暴虐のかぎりをつくした末に没落をきわめ、いまや中国に抜きさられようとしている軍国主義帝国の、最末期のあがきというべきではないか！

トランプのアメリカはいま、「世界大恐慌以来」の経済破局にたたきこまれている。四―六月期ＧＤＰは年率換算で前期比マイナス三二・九％という、統計史上最大の落ち込みを記録した。このなかで、資本家階級はおびただしい労働者・人民を路頭に放り出している。いまも、一週間に一四三万人もの労働者が新たに失業保険を申請している。他方で「ＧＡＦＡ（グーグル、アップル、フェイスブック、アマゾン）」をはじめとする一握りの資本家どもはパンデミック下で巨利をむさぼりいっそう肥え太っている。この現実にたいして、困窮を強制された労働者・人民の怒りが燃えあがっている。かの白人警官による黒人男性殺害をきっかけとして、黒人だけでなく人種を超えて全米に燃え広がっている「人種差別反対」のデモンストレーションも、そのような怒りの噴出なのだ。

これにたいして大統領トランプは、燃え広がる抗議デモを鎮圧するために狂乱的な弾圧をふりおろしている。連邦政府直属の治安部隊をみずからの手兵として急きょ編成し、これをとくに民主党系の知事の州に送りこんで、催涙弾を撃ちまくり、殴る・蹴るの暴行を加え大量逮捕を強行しているのである。このトランプをわれわれは怒りをこめて弾劾するのでなければならない。

アメリカ人民の怒りと怨嗟に包まれたトランプは、三ヵ月後に迫った大統領選において劣勢にたたされている。まさにこのゆえにトランプは、民主党候補バイデンを〝極左の操り人形〟などと描き・みずからを「法と秩序」の守り手とおしだすためにも、デモ隊への弾圧に狂奔している。それだけではない。またぞろ「中国ウイルス」「武漢ウイルス」と連呼しながら、感染の爆発的拡大も、労働者・人民が路頭に投げ出されていることも、すべて「中国のせいだ」「中国が悪い」などと排外主義的言辞をまくしたてているのだ。断崖絶壁に追いつめられたトランプが、USAナショナリズムにうったえて危機突破をはかるために、中国にたいして軍事的な一撃を加える可能性がいま急速に高まっている。まさにそれは、第三次世界大戦の導火線に火を放つものとなりかねないのだ。トランプ政権の戦争放火を断じて許すな！

C　世界的戦乱勃発の危機

まさにいま、パンデミックのなかで歴史的凋落をあらわにしたアメリカと、これを一挙に抜きさろうと猛突進する中国とが、二十一世紀世界の覇権をかけて全面的に激突している。しかも、アメリカと、中国およびこれと実質上の軍事同盟をとりむすぶプーチンのロシアとは、相互に核戦力の強化にしのぎをけずりながら激突しているのであって、このゆえに熱核戦争＝第三次世界大戦勃発の現実的可能性さえもが、いまや高まっているのだということを、すべての民衆は直覚し、反戦の闘いに起たねばならない。

熾烈さを増す米―中・露の核戦力強化競争、その舞台は宇宙空間にまでいまやひろがっている。

中国・ロシアは「衛星破壊兵器」の開発・配備に突進している。とくに、「キラー衛星」と称される、敵国の衛星に弾丸を撃ちこんで破壊したり・アームでつかまえたりするという攻撃用衛星を実用化しつつある。これらは、GPS（全地球測位システム）からもたらされる軍事情報に依存しきった米軍の〝目潰し〟を狙ったものにほかならない。さらに中・露は、アメリカのMD（ミサイル防衛）システムを突破しうる「極超音速兵器」なるものの実戦配備に突進している。

この「極超音速兵器」開発・配備においてアメリカは中・露に完全に遅れをとっている。このゆえに、軍事力において中・露に急速にキャッチ・アップされかねないと恐れたトランプ政権は、「属国」日本の安倍政権をも動員しながら、極超音速ミサイルを迎撃する体制構築を急いでいる（後述）。それとともにトランプは、「使える小型核兵器」の開発にも狂奔しているのである。

ところでいま、新型コロナのパンデミックを眼前にした米―中・露権力者どもは、右にみたような核戦力強化競争とともに、生物・化学（BC）兵器の開発競争に拍車をかけてもいる。現下のコロナ・ワクチン開発をめぐる米―中（・露）の争いも、このB

C兵器開発競争とむすびついているのである。

われわれは、いま世界的に蔓延している新型コロナウイルスの出所が、中国軍の管理下でコロナウイルス研究をすすめてきた中国・武漢のウイルス研究所にほかならないことを、世界に先駆けて暴露してきた。われわれは、この中国およびロシアとアメリカとが——核戦力増強競争と一体で——世界の覇権をかけてくりひろげているBC兵器開発競争に、断固として反対しようではないか！

Ⅱ　ガタガタ安倍政権の反動攻撃

A　「敵基地攻撃能力」保有への突進と憲法改悪の策動

「社会主義現代化強国」への飛躍をかけて政治的

・軍事的攻勢を強める中国に対抗して、この中国の猛追をはねかえそうと躍起となっているトランプ政権。このトランプ政権からする〝日本は盾だけでなく矛を持て〟とか〝中国の行動を抑止するために南シナ海に出ろ〟とかの対日軍事要求に、日米新軍事同盟にもとづいて積極的に呼応しているのが、〈安保の鎖〉で縛られたアメリカの「属国」＝日本の安倍政権にほかならない。

とりわけ安倍政権はいま、「敵基地攻撃能力」の保有にむけて突進を開始している。

すでに述べたように中国・ロシアは、既存の米MDシステムでは迎撃できない新型ミサイルの開発・配備に突進している。そして北朝鮮もまた、ロシアからの水面下での技術援助をもうけて、低空を飛び着弾寸前に上昇する変則軌道を描く新型ミサイルの実験を成功させている。

これらを眼前にした安倍政権は、いまや、日本国軍が米軍と一体となって「敵基地」に先制攻撃を加えうる軍事システムの構築に突進しはじめたのである。自民党はこんにち、「相手領域内での攻撃」つまり敵国内に侵入し攻撃を加えることも提言している。これは、文字通り日本をアメリカと一体となって戦争を遂行しうる国家へと飛躍させるたくらみにほかならない。

すでにそのための兵器の整備を安倍政権・防衛省ははじめている。F35Aステルス戦闘機一〇五機をアメリカから購入しようとしていることがそれである。その総額たるや二兆四七〇〇億円にものぼる。困窮する労働者・人民を見殺しにしながら、このような先制攻撃のための兵器に巨額の血税を投入しようとしているのである。

それだけではない。安倍政権は、トランプ政権・米軍が整備しようとしている新たな衛星監視システムに参入しようとしている。こんにちトランプ政権・米軍は、中国・ロシアの「極超音速兵器」を迎撃する態勢を構築するために、「極超音速・弾道追跡宇宙センサー(HBTSS)」なるものの配備にのりだそうとしている。それは、低い軌道上を周回する「衛星コンステレーション」とよばれる二〇〇個あまりの衛星(コンステレーションは「星座」の意)を飛ばし、極超音速兵器の軌道を完全にとらえよう、というものである。この新たな軍事システム配備への協力を、安倍政権は早ばやとトランプ政権に誓ったのである(六月三十日策定の新「宇宙基本計画」)。

安倍はこの「衛星コンステレーション」計画への参入にさいしてほざいた。「米軍と協力し、衛星で何もかも丸裸にする」「『ミサイルを撃ちこむこともできる』となれば、それが抑止力になる」と。まさにこの言辞に示されるように安倍政権は、日本国軍を米軍に文字通り一体化させ、小型衛星によって「敵基地」からのミサイル発射の兆候を察知するやいなや・戦闘機などからのミサイル攻撃でこの「敵基地」を破壊するという軍事システムづくりに踏みだしたのである。

こうした動きをすすめながら安倍政権は、年末までには「国家安全保障戦略」「防衛計画の大綱」「中期防衛力整備計画」のすべてを改定しようとしている。それは〈米中冷戦〉の時代における、アメリカ帝国主義の新たな対中国軍事戦略に従属した日本の安保・軍事戦略の策定という意味をもつのである。

まさに右のことに如実に示されるように、安倍政権はトランプ政権とのあいだで日米新軍事同盟を新たな次元において強化しつつある。この日米新軍事同盟にもとづいて、台湾・朝鮮半島などで一朝ことあらばアメリカとともに敵対国（中国・北朝鮮）に先制攻撃をしかけうる国へと日本を飛躍させる――そのために安倍政権は、「戦争放棄・交戦権否認」をうたった憲法の大改悪＝憲法第九条の最後的破棄に踏みだそうとしている。

しかも、労働者・人民を根こそぎ戦争に動員しうる体制を構築するために安倍政権は、改定新型インフルエンザ特措法にもとづいて発令した「緊急事態宣言」とむすびつけて、憲法への「緊急事態条項」新設への道をこじあけようとしている。安倍の手下である自民党の下村博文は、八月末にも自民党改憲案の「修正案」を出し、その「緊急事態条項」の「緊急事態」として想定される「事態」のなかに新たに「疫病」を入れようとしている。明らかに、コロナ蔓延を露骨に利用して改憲の野望実現にこぎつけようとしているのが安倍自民党のネオ・ファシストどもなのである。彼らはそのために今後、真正ファシスト集団たる「日本維新の会」との連携もさらに強めていくにちがいない。われわれは、日本型ネオ・ファシズム支配体制の強化を断じて許してはならない。

B　〈パンデミック恐慌〉下で人民に犠牲を強制する独占資本家どもと安倍政権

（1）こんにち、ここ東京をはじめ全国で感染者数が増加し、医療現場が逼迫しているこのときに、首相・安倍はまったくの無対応を決めこんでいる。

そもそも、こんにちの感染拡大と医療崩壊の危機は、ＰＣＲ検査（ウイルス遺伝子検査）体制の拡大や医療体制整備のための資金の投入も人員の補充もおこなわなかった安倍政府・厚生労働省によってもたらされたものではないのか！　この政権は五月末には、卑劣にも、「〔検査が増えないのは〕人的目詰まりがあったから」などと保健所や検査センターの職員・医師に責任をなすりつけたのであった。みずからの責任を棚にあげたあげくのはてに、医療現場の窮状を放置しつづけた安倍。まさにこの安倍こそが、新型コロナ感染拡大を招いた張本人なのだ！

わが革命的左翼は、五月の「緊急事態宣言」延長直後に『解放』紙上で暴きだした(第二六一八―一九合併号)。医療現場から完全に浮きあがり、人民の困窮にも無頓着な脇田隆字・尾身茂らを先頭とする「専門家会議」、この「専門家会議」に判断を丸投げし・その言うがままに原稿を棒読みするにすぎない安倍のその表情は、まさに「判断喪失者」のそれである、と(本誌第三〇七号に収録)。この批判に直撃された安倍は、六月にはこの「専門家会議」を突如解体したのであった。そして、「判断喪失」のままにダッチロールを重ねた末に、いまや完全な無対応を決めこんでいるのが安倍なのである。まさに〝脳死〟の様相を呈しているこのガタガタ安倍政権を、労働者・人民の力で打ち倒そうではないか！

(2) いま、独占資本家どもは、コロナ蔓延に乗じて、不採算部門の削減などをおしすすめ、労働者・人民に容赦ない首切り・賃下げ攻撃をうちおろしている。四月に一時帰休扱いにされた六〇〇万人もの労働者、その半数以上はいまも休業を強いられ、そしてつぎつぎに解雇を言いわたされている。資本家どもは、とりわけ「非正規」の労働者の契約を一方的に打ち切り、社員寮から文字通りたたき出し路頭に放り出しているのだ。

どこまでも強欲な資本家どもは、いま、「第四次産業革命への日本の立ち遅れ」なるものを絶叫し、ここぞとばかりに「産業のデジタル化」を呼号している。彼らは、一握りの「IT人材」とそれ以外の大多数の「非正規」労働者への階層分化をはかり、そして大多数の労働者を低賃金かついつでも〝使い捨て〟にすることができる「非正規」労働者へと落しこむことを狙っているのである。断じて許せない。

この独占資本のみを救済し、困窮に追いやられた労働者・人民を踏みつけにしているのが安倍政権にほかならない。

この政権は、「総額一二〇兆円の資金繰り支援」だの「日銀による一一〇兆円の支援プログラム」だのといった独占資本救済策に巨費を投じている。しかも安倍政権は、七月十七日発表の「骨太の方針」においては、資本家どもの要求に全面的に応えて、「デジタル化の促進」を、さらに「働き方改革」の名による労働法制改悪の方針をもりこんだ。とりわけ、こんにち資本家どもがとっている、労働者を労働時間規制も最低賃金も適用されず・いつでも首を切れる「個人事業主（フリーランス）」扱いにするという悪辣きわまりないやり方を正当化する法制度をつくりだそうとしているのだ。

感染拡大に無対応を決めこみ、困窮する労働者を見殺しにし、独占資本の救済には血道をあげる、このガタガタ安倍政権を、いまこそ労働者・学生の力で打ち倒せ！

Ⅲ　革命的反戦闘争の大爆発をかちとれ！

A　革命的左翼の真価を発揮した今春期の闘いにふまえ、さらなる前進を！

すべてのみなさん！　われわれは、新型コロナ・パンデミックのまっただなかで、いっさいの犠牲を労働者階級に強制する安倍政権や独占資本家どもの前に仁王立ちになり、そして戦乱の危機高まる世界に対峙し、まさしく革命的左翼の真価を発揮してたたかいぬいてきた。

わが革命的左翼は、機関紙『解放』紙上において、労働者・人民に連続的に闘いの指針を提起してきた。三月末、新型コロナ感染が日本で拡大しはじめ、そして資本家どもがコロナ蔓延を口実とした首切り・賃下げ攻撃を労働者階級にうちおろしてきたとき、われわれは、まさに労働者階級の利害を一身に体現するものとして、「政府は困窮する労働者に直接・無条件に生活保障せよ！」「新型コロナ対策のための予算・物資を医療福祉現場・学校現場に即時支給せよ！」と安倍政権にたいしてただちに・強く迫るべきことを労働者・人民にたいして提起した。

四月七日に安倍政権が「緊急事態宣言」を発令するや、これにたいしてその日のうちに「生活保障なき『緊急事態宣言』の強権的発令反対！」の断固たる声明を発した。「緊急事態宣言」が延長された五月上旬には、「貧窮人民を見殺しにする安倍政権打倒！」を提起した。

「緊急事態宣言」延長直後の五月八日、わが全学連の白ヘル部隊は、厳戒態勢を突き破って首相官邸前に登場し、「安倍政権打倒」の火柱をあげた。日本労働者階級と学生の先頭において敢行されたこの闘いは、まさに安倍政権をして震撼せしめたのである。そしてまさにこの闘いを皮切りに燃え広がった労働者・人民の怒りの前に、いわゆる「コロナ危機」に隠れて安倍がおのれの延命のために目論んだ「検察庁法」改定の策動はものの見事に粉砕されたのであった。

さらにたたかう労働者と学生は六月十四日と二十一日、「米中冷戦のもとで高まる戦争勃発の危機を突破せよ！」という革命的指針のもと、全国で労働者・学生統一行動に決起し、革命的反戦闘争の火柱を赤々と燃えあがらせた。全学連は中国権力者の「国家安全維持法」制定に反対し、全国各地で中国大使館・総領事館にたいする抗議闘争にも決起した。

まさしくわれわれは、うって一丸となって、縦横無尽の闘いをくりひろげてきたのだ。

政府・権力者とその御用マスコミは口を開けば言う、「ウイルス対人類の戦いだ」と。また言う、「ウイルスに勝つために心をひとつに」と。これらは、ウイルス蔓延のなかでいっさいの犠牲を労働者・人民におしつけて生き延びようとしている支配階級と権力者どもが、このおのれの策動を正当化するためにふりまいているイデオロギーにほかならない。このようなイデオロギーをも粉砕しながらわれわれは、労学両戦線において、安倍政権や独占資本家にたいする断固たる闘争を創造してきたのである。

こうしたわが闘いがきりひらいた地平にふまえ、さらなる前進をかちとろうではありませんか！

B　＜反安保＞を完全に放棄した日共式反対運動をのりこえたたかおう

このようにわが革命的左翼が日本労働者階級の先

頭において断固たる闘いをくりひろげていた今春期、日本共産党の不破＝志位指導部はいったい何をやっていたのか。

彼らは、反戦・反改憲の大衆的とりくみも、また労働者・人民に貧窮を強制する安倍政権や独占資本家にたいする闘いも放棄しさった。しかも委員長・志位和夫は、通常国会開会中には、「安倍さんから一本取るよりもプッシュする姿勢でやっていく」「私たちは安倍政権打倒とは言っていない」などとほざいていたのだ。コロナ蔓延のなかでは安倍打倒は封印する、という誓いをたてたのである。そしてげんに彼らは、安倍政権が提出した「第二次補正予算案」にたいしても、「世論の力で支援を拡充させた」などと持ち上げるありさまだったのだ。

こんにち代々木官僚どもは、安倍政権が目論む「敵基地攻撃能力」保有の策動について、「一見、勇ましく見える（！）が、全てのミサイルを一瞬で破壊するのは不可能（!?）」（志位）とか、「日米同盟で日本が専守防衛の『盾』で、打撃力を担う米軍が『矛』としてきた従来の建前上の役割分担から踏み出すもの」（書記局長・小池晃）とかと言いだした。ここには、立憲民主党などに「政権構想」で一致してもらうために、〝「日本有事」にさいしては「安保条約上の建前上の役割分担」どおりに日米共同作戦を遂行する〟という日共式の安保・軍事政策を示そうという、彼ら代々木官僚の思惑がはっきりと示されているではないか。

自衛隊ばかりか安保条約をも是認し、その「建前」どおりに日米共同作戦を遂行することを政府に要請することによっては、現時点の「敵基地攻撃能力」保有を焦点とした日米新軍事同盟の新たな強化の攻撃、さらに憲法改悪の攻撃をうちくだくことは決してできない。いや、労働者・人民の反戦・反改憲の闘いをほりくずし破壊する以外のなにものでもないのだ。この代々木官僚の犯罪を、怒りをこめて弾劾せよ！

われわれは、「反安保」を放棄した日共翼下の反対運動を断固のりこえ、反戦反安保・改憲阻止のうねりをまきおこすのでなければならない。

C　反戦反安保・改憲阻止の闘いを推進せよ

（1）われわれは、〈米中冷戦〉下の戦争的危機を突き破る反戦闘争の爆発を断固としてかちとるのでなければならない。

まさにいま、米中両軍が激突しあう南シナ海を発火点にして、世界大的戦乱が勃発しかねない危機が急切迫している。そのまっただなかで、日米新軍事同盟の鎖にしばられた安倍政権は、トランプ政権の軍事要求に応えて、南シナ海に日本国軍をさらに本格的に送りこみ・中国軍と対峙させようとしているのだ。

米中両軍の南シナ海における相互対抗的軍事演習に反対せよ！　対中国の臨戦態勢反対！　自衛隊＝日本国軍の南シナ海への派遣を断じて許すな！　中国による尖閣「領有」策動反対！　南シナ海の「軍事拠点化」反対！

そしてわれわれは、ますます熾烈化する米―中・露の核戦力強化競争に反対するのでなければならない。宇宙軍拡競争に反対せよ！

今二〇二〇年は広島・長崎への米軍による原爆投下・人民大虐殺から七十五年である。このときにトランプは、許しがたいことに原爆投下直前におこなわれた人類史上初の核実験を〝称えて〟、「核兵器は国防の支え」「核実験は工学と科学のすばらしい偉業」などとほざいたのであった。核軍事力を崇拝するトランプ政権は、いま、一九九二年以降おこなわれてこなかった、核爆弾を実際に爆発させる実験の再開の準備さえをもおこなっているのだ（五月に国防次官補代理が「大統領の命令でいつでもやれる」と発言）。このトランプ政権を弾劾せよ！　中距離核ミサイルの日本列島への配備に断固反対せよ。「使える核兵器」＝小型核兵器の開発・配備を許すな。中国・ロシアの対抗的な核軍拡に反対しよう！

さらにわれわれは、米―中・露のBC兵器開発競争に断固反対するのでなければならない。

（2）われわれは、「敵基地攻撃能力」＝先制攻撃のための軍事力構築に反対するのでなければならない。「戦争放棄・交戦権否認」をうたった憲法第九条の改悪を断固として阻止しよう！　日米新軍事同盟の強化反対！

安倍政権は、困窮するおびただしい労働者・人民を見捨て見殺しにしておきながら、トランプ政権のいうがままに、「先制攻撃能力」獲得のための巨額米製兵器の大量購入につきすすんでいる。トランプからする米軍駐留経費の大増額要求にも、唯々諾々と応じるにちがいない。これをわれわれは断じて許してはならない。

労働者・人民の力で辺野古新基地建設を阻止せよ！

目下、沖縄では、在沖米兵・軍属のコロナ感染がひろがり、そしてこれが基地の外にもひろがるという事態が生みだされている。だが在日米軍は、「軍事機密」と称して感染拡大の実態を隠蔽しながら、あくまでも「第一列島線」上にある沖縄における対中国の即応態勢を強化しているのだ。そしてこの米軍の対応を「問題ない」と弁護し、情報統制・隠蔽に加担しているのが安倍政権にほかならない。われわれは、この米日両権力者の感染隠蔽を弾劾するとともに、米軍による対中国の即応態勢強化に断固反対するのでなければならない。いまこそ全米軍基地撤去をかちとろう！

＜米中冷戦＞のもとで、安倍政権はトランプ政権によって南シナ海にますますひきずりだされようとしている。さらに、米日両権力者は、米軍と日本国軍が一体となって「敵対国」にたいする先制攻撃をしかける軍事体制の構築に突進している。その法的根拠はいうまでもなく安保条約なのである。われわれは、日米新軍事同盟の新たな強化が画されようとしているいまこそ、労働者・人民の団結した力で＜安保の鎖＞を断ち切らねばならない。日米安保条約破棄をめざしてたたかおうではないか！

（3）さらにわれわれは、日本型ネオ・ファシズム支配体制の強化を断固として粉砕するのでなければならない。「コロナ対策」に乗じた憲法改悪＝「緊急事態条項」創設を阻止せよ！　労働組合破壊・学生自治会破壊を断じて許すな！

D　安倍日本型ネオ・ファシズム政権打倒！　万国の労働者は団結し全世界の権力者を打ち倒せ！

（1）反戦反安保・改憲阻止の闘いと同時的にわれわれは、∧パンデミック恐慌∨下でいっさいの犠牲を労働者・人民に転嫁する安倍政権と独占資本家にたいする政治経済闘争を断固としてくりひろげようではないか。

たたかう労働者は、「連合」や「全労連」の既成労働運動指導部の統制をうちやぶり、職場生産点から∧首切り・雇い止め・賃金切り下げ反対∨の闘いをつくりだすために奮闘してきた。全学連の学生も、困窮学生を見殺しにする安倍政権を弾劾する闘いを全国からまきおこしてきた。この力を結集して、いまこそレイムダック化した安倍日本型ネオ・ファシズム政権を打ち倒せ！　労学両戦線からただちに総決起しようではないか！

（2）すべてのみなさん！　∧パンデミック恐慌∨のもとで、いっさいの犠牲を強制された労働者・人民の怒りは全世界で高まっている。いまこそ、高まる労働者・人民の怒りを階級的自覚へと高め、全世界のプロレタリア階級闘争の蘇生をかちとるのでなければならない。全世界の労働者階級にたいして、階級的に団結し、労働者を奈落の底に沈める全世界の権力者どもを打倒するために決起せよとよびかけようではないか！

いまわれわれは、まさに世界史的激動というべき時代の巨大なうねりのただなかで、生き・たたかっている。

中国・武漢に発生した新型コロナウイルス感染症は、いわゆる「グローバル経済」のもとでのヒト・モノ・カネの自由な移動の波に乗ってわずか二ヵ月のうちに全世界にひろがった。これを眼前にして、つい昨日までこの「グローバル経済」を謳歌してきた権力者どもは、一転、国境を閉じ、都市を封鎖し、民衆には移動を禁じた。「安い労働力」を求めて世界をかけめぐり、搾取と収奪のかぎりをつくしてきた独占資本家どもは、生産をストップし、そして、おのれの延命のために、労働者階級にたいして首切り・雇い止めの攻撃を容赦なくうちおろしたのだ。

　スターリン主義ソ連邦の自己崩壊（一九九一年）以後、世界の「一超」支配をたくらんだアメリカ帝国主義は、みずからの主導のもとに「市場経済」の全球的拡大をはかってきた。そのもとで米・欧・日の資本家どもは、国境を越えて生産拠点を展開し、肌の色・眼の色を問わず全世界の人民の血を吸ってきた。同時にみずからの足元では、生産拠点を統廃合して自国労働者・人民を次々に「非正規」化し、大量首切りに狂奔してきた。

　他方、この「経済のグローバル化」を逆手にとって、「二十一世紀の超大国」への雄飛をめざしたのがネオ・スターリン主義国家たる中国であった。北京官僚どもは、「資本主義を恐れることなく利用せよ」という鄧小平の〝遺訓〟にしたがって、「社会主義市場経済」なる看板をかかげることによって米・欧・日の資本を自国に呼びこみ、中国経済の資本主義化につきすすんできた。

　こうして現出せしめられた「グローバル経済」のゆえにこそ、中国の一都市で発生した新型ウイルスが、「ヒトの自由な移動」にあわせてたちまちにして全世界を席巻し・パンデミックとなったのである。

このことに震えあがった支配階級が、いま、労働者・人民にいっさいの犠牲を強制し、貧窮のどん底にたたきこむことで延命をたくらんでいるのだ。まさしく、パンデミックのもとでむきだしになったものこそは、十九世紀的な古典的階級分裂と階級間格差なのだ。

そして、このゆえに全世界の資本主義諸国の権力者どもは、「ウイルスとの戦争」をわめきたてながら、労働者・人民にたいするネオ・ファシズム的な支配を一挙に強化している。

この権力者どもと独占資本家どもにたいして、全世界の労働者・人民は団結をかため、いまこそ断固たる反撃の闘いにうってでようではないか！

（3）〈戦争と貧困と圧政〉に覆われたこの暗黒の世界をくつがえし、輝く未来をきりひらくことができるのは、ただ国境を越え階級的に団結したプロレタリアートの闘争をおいてほかにない。

われわれは、二十世紀世界を動かしたとさえいえるソ連スターリン主義の反労働者性をあばきだし、その打倒のためにたたかってきた。このわれわれは、全世界の労働者・人民によびかける。〈反帝・反スターリン主義〉の旗のもと、全世界の労働者・人民はいまこそ国境を越えて団結し、みずからの手で新たな時代をひらくことをめざして闘いを開始しようではないか！

わが日本反スターリン主義革命的左翼は、帝国主義とスターリン主義に抗する全世界労働者階級の組織的闘いを創造することをめざして、日本の地において断固として奮闘している。今日ここに集ったわれわれは、全世界の虐げられた労働者・人民にたいして、われわれとともに総決起すべきことを、国際反戦集会の名において断固としてよびかけようではないか！

わが革命的反戦闘争をいまこそ全世界へとおしひろげよう！　ここ日本の地から国際反戦闘争の奔流をまきおこそう！

（二〇二〇年八月二日）

中国主敵の日米軍事一体化の実態

新「宇宙基本計画」――米日共同の軍事衛星網開発

首相・安倍晋三は、地上配備型迎撃システム「イージス・アショア」配備の「停止」を決めた直後の二〇二〇年六月中旬に言い放った、「米軍と協力し、衛星で何もかも丸裸にする」と。中国やロシア、北朝鮮が多弾頭型の弾道ミサイルや変則軌道をとる極超音速兵器を開発・配備している現状にあっては、これまでのミサイル迎撃システムではミサイルを探知・迎撃することはむずかしい――このようにみなしている安倍政権は、「イージス・アショア」の配備を断念するとともに、中国や北朝鮮のミサイル基地などを二十四時間体制で監視し、ひとたびミサイルが発射されればその全軌道をリアルタイムで追跡するという衛星監視システムの構築を、トランプ政権と一体となっておしすすめようとしている。こうしたスパイ衛星網構築の策動は、ミサイル発射の兆候があるとみなしたならばただちに先制攻撃にうってでるという「敵基地攻撃能力」保有の策動と不離一体のものなのだ。

この安倍政権の宇宙をめぐる政策を示したのが、六月三十日に五年ぶりに改定された「宇宙基本計画」にほかならない。

「計画」において安倍政権は、「自立した宇宙利用大国となる」ことを目標として掲げ、「宇宙安全保障の確保」や「宇宙を推進力とする経済成長」などにかんする方策をうちだした。とりわけ、「安全保障」という語をわずか三十ページほどの文書のなかで四十回以上も多用し、宇宙軍拡を一気に加速させる意志を示したのだ。

その具体策として安倍政権は、「計画」において、「準天頂衛星システム」や「Xバンド防衛衛星通信網」、「情報収集衛星」など、じつに十項目にわたって米軍と共同で開発・構築する計画をうちだした。なかでも安倍政権が特に力を入れているのが、今回初めて「計画」に盛りこんだ「小型衛星コンステレーション（群）」システムの構築にほかならない。

この計画は、日米が共同して二〇〇基を超える小型衛星を群れのように打ち上げ、「敵」とみなした国家を宇宙から監視するというものだ。多数の衛星でミサイルを追尾することによって情報の精度を高めるとともに、いくつかの衛星が破壊されても他の衛星で補完する――このような構想にもとづいて安倍政権は、トランプ政権とともに米日一体となった軍事衛星網の構築を策しているのだ。まさにそれは、中国やロシアが従来のMD（ミサイル防衛）システムをかいくぐる新型ミサイルや衛星そのものを破壊する兵器の開発に突き進んでいることへの対抗策にほかならない。

すでに米軍は「極超音速・弾道追跡宇宙センサー（HBTSS）」と称する宇宙監視網の構築を計画しており、二〇二四会計年度にも初期運用を開始することを企んでいる。この米軍の軍事衛星網を補完するかたちで、大量の軍事衛星の打ち上げを計画しているのが安倍政権にほかならない。一兆円以上ともいわれる新たな軍事衛星網の構築の費用を日本に肩代わりさせることをもねらっているトランプ政権に呼応して安倍政権は、労働者・人民の血税をまたしても大量に軍備増強に注ぎこもうとしているのだ。

トランプ政権による宇宙軍の発足（二〇一九年十二

月)に呼応して、航空自衛隊内に「宇宙作戦隊」を設立(二〇年五月)した安倍政権。この輩は今、中国・ロシアに対抗しての日米一体での宇宙軍拡に突き進んでいる。われわれは今こそ、日米共同での宇宙軍拡に断固として反対するのでなければならない。新たなMDシステムの開発・配備を許すな！　宇宙空間をも焦点として激化する米―中・露の核戦力増強競争に今こそ反対しよう！

自衛隊「宇宙作戦隊」――米の〝宇宙制覇〟に荷担

防衛省は「宇宙作戦隊」を大臣直轄部隊として二十名で発足させた(二〇二〇年五月十八日、航空自衛隊府中基地)。自衛隊としては初のこの宇宙専門部隊は、敵の破壊攻撃から米・日の衛星を「防御」するための「監視」を当面の任務としている。宇宙空間における日米一体の軍事的連携の構築・強化に突進しているのが安倍政権なのである。

今や宇宙空間は、アメリカと中国・ロシアの権力者双方が「第四の戦場」とみなす軍拡競争の舞台だ。一九年十二月にトランプ政権は、〝宇宙を制するものが地上を制する〟とばかりに、陸海空軍などと同格の六番目の軍種として「宇宙軍」(一万六〇〇〇人)を創設し、宇宙空間での軍事力強化に狂奔している。このトランプ政権に日米安保同盟の鎖で締めあげられている安倍政権は、新型コロナウイルス対策「緊急事態宣言」下でもトランプに忠誠を誓うかたちでアメリカ宇宙軍を補完する部隊として「宇宙作戦隊」を設立したのだ。米宇宙軍司令官レイモンドは、「宇宙作戦隊」の発足にあたって安倍の尻をたたく〝祝福〟のメッセージを送った――「われわれは協力するほどに強くなる。宇宙においても同じだ」と。

安倍政権は、宇宙における米・日の「監視」体制を強化するために、日本の衛星をアメリカに供出している。すでにＪＡＸＡ（宇宙航空研究開発機構）が運用している「低高度周回軌道（高度一〇〇〇キロ以下）」を監視するレーダーや、「静止軌道（高度約三万六〇〇〇キロ）」を監視する光学望遠鏡の情報を米軍に提供している。同時に、「宇宙設置型光学望遠鏡（監視衛星）」や「宇宙状況監視システム（米軍などと連携して監視するための地上配備型レーダーと地上運用システムの関連器材の整備）」などを新設しようとしているのだ（今年度の概算要求で五二四億円を計上）。

「宇宙作戦隊」の発足式（5月18日）

これらの監視システムを強化するのは、地球の周りを回っている五〇万個から七〇万個あるとされる「宇宙ゴミ」（直径一センチ以上のデブリが衝突すれば壊滅的な被害を被る）の監視のためだと安倍政権・防衛省はおしだしている。だが彼らの最大の目的は、今や米軍のあらゆる軍事作戦行動を支える目となり神経系統ともされる衛星システムが、中・露の「キラー衛星」や地上からのレーザー照射や通信妨害などによって破壊されたり妨害されたりすることを防ぐことにこそあるのだ。そのために、中・露が運用する衛星の情報（機能や運行情報など）を把握し、その衛星が想定外の行動を示したりすることを素早くキャッチし分析する「宇宙状況監視（ＳＳＡ）」活動における日米協力を強化しているのだ。

日本独自の測位衛星である「準天頂衛星みちびき」（二三年度打ち上げ予定の六号機、七号機）に、米国防総省の監視用センサーを搭載することが合意（一九年四月の日米「2プラス2」）されるなど、日本国軍およびＪＡＸＡの米軍への一体化が進められている。米軍の軍事作戦にとって不可欠な衛星システムが攻撃を受けたり故障した際には日本がこれを補完し肩代わりすることもまた「宇宙作戦隊」の任務とされているのである。

トランプ政権・米国防総省は今、「平時から有事までもあらゆる段階で宇宙での優位性を確保する」と叫びたて、宇宙軍拡に突進している。中国やロシアがキラー衛星や極超音速兵器を開発し配備しつつあることへの危機意識をむきだしにして、新たなミサイル防衛システムを強化＝補完するために「有事に即応可能な小型衛星」システムの開発にも狂奔している。このトランプ政権の策動に積極的に荷担している安倍政権は、創設した「宇宙作戦隊」を米宇宙軍を支え補完する部隊として強化・拡大せんとしているのだ。

宇宙空間をも舞台として熾烈化するアメリカ・日本と中国・ロシアとの軍拡競争を断じて許すな！

空飛ぶ殺人ロボット＝AI戦闘機開発競争

アメリカと中国およびロシアの権力者どもはいま、AI（人工知能）を駆使した無人戦闘機・無人攻撃機の開発にしのぎを削っている。現在の開発競争の焦点となっているのは、国家間の正規軍戦を想定した大型で高速・自律飛行が可能な無人機だ。ドローンというよりもむしろ〝空飛ぶ殺人ロボット〟とでも呼ぶべきものだ。

これまで米軍などが使用してきた無人攻撃機は、地上のパイロットが衛星回線を通じて遠隔操縦するものであった（イラン革命防衛隊司令官ソレイマニの暗殺に使われたMQ9リーパーなど）。だがこのような遠隔操縦方式では、敵国が電磁波戦（電波妨害）・宇宙戦（衛星攻撃）にうってでた場合には操縦不能となったり、乗っとられたりする可能性がある「イランは二〇一一年に、偽のGPS（全地球測位システム）信号を使ってアメリカの無人機を拿捕したといわれている」。また信号の送受信に数秒のタイムラグがあるため、瞬時の判断・操縦が必要な空中戦は無人機では不可能であった。

だがAIで自律飛行が可能になれば、電磁波戦・

宇宙戦のもとでも無人機を運用できる。そればかりではない。空中戦においては、生身の人間が耐えられないような急上昇・急旋回などの激しい操縦も可能になる。なによりも、長い時間と多額の経費が必要な戦闘機パイロットの育成が不必要となる。つまりＡＩ戦闘機・攻撃機を他国に先んじて開発・配備した国は、制空権を確保するうえで圧倒的に有利となる。このゆえに各国権力者は、自律飛行が可能なＡＩ戦闘機・攻撃機の開発に狂奔しているのだ。

　アメリカは数年前からＡＩ無人戦闘機の開発を進めている。戦闘機を操縦するＡＩ「スカイボーグ」、およびこれを搭載する予定のステルス無人機ＸＱ58Ａ「バルキリー」がそれだ。バルキリーは、Ｆ35の半分ほどの大きさで、各種のミサイルや爆弾、電子戦機材などを搭載できる。また価格もＦ35の四十分の一程度で〝使い捨て〟ができ、有人機と編隊を組んで有人機を対空ミサイルから護衛したり、撃墜される危険性が高い対地攻撃をおこなったりする、といった使い方が構想されている。米軍は二一年七月にも、スカイボーグを搭載したバルキリーと有人のＦ35による模擬空中戦を実施する計画であるという。

　これにたいして中国は「軍事智能化」（二〇一七年、第十九回中国共産党大会）を掲げ、軍用ＡＩ導入ではアメリカに先行してきた。一九年十月、建国七十周年の軍事パレードにおいて中国は、ステルス無人攻撃機「攻撃11」と超音速無人偵察機「無偵８」を初公表した。無偵８はロケットエンジンを搭載し、超音速無人戦闘機の原型になるともいわれている。

　またロシアは一九年八月、大型ステルス無人攻撃機Ｓ70「オホートニク」の初飛行をおこなった。オホートニクは一定の自律飛行が可能であり、ステルス戦闘機Ｓｕ57との編隊飛行もすでにおこなっている。

米軍が開発中の無人戦闘機バルキリー

　二〇年春、米軍の空母打撃群はコロナウイルスの感染拡大によって機能麻痺におちいった。中国軍・ロシア軍もまた、詳細を公表してはいないとはいえ、一定の戦力低下にみまわれたことは間違いない。米・中・露の権力者どもは、今回のコロナ・パンデミックを契機として、ＡＩ兵器の開発・配備によりいっそうの拍車をかけているのだ。

米―中・露の核戦力強化競争反対！　戦争勃発の危機を激化させるＡＩ兵器の開発・配備に今こそ反対しよう！

陸自「電子戦」部隊の創設

日本版「マルチドメイン」部隊の創出

防衛省・陸上自衛隊は、二〇二〇年度末（二一年春）に、「電磁波」領域の専門部隊を健軍駐屯地（熊本市）に約八十名規模で創設しようとしている。そのために、新部隊に配属する隊員の教育・訓練を二〇年七月から陸自通信学校（神奈川県横須賀市）で開始した。

安倍政権は、「領域横断（クロスドメイン）作戦能力の強化」なる目標を掲げて、日本国軍のなかに陸・海・空の基幹部隊だけでなく、「宇宙・サイバー・電磁波」の各領域の専門部隊をつくりはじめた。そして、これらの部隊を（米軍の指揮のもとで）一体的に運用することを目指しているのだ。彼らは、すでにつくりだしているサイバー防衛隊につづいて、宇宙作戦隊を航空自衛隊・府中基地（東京都）に創設した（五月十八日）。

「電磁波」領域を専門とする新たな「電子戦」部隊は、東千歳駐屯地（北海道千歳市）の第一電子隊を改編してつくられるといわれている。従来よりもカバーする周波数の範囲の広い最新の「電子戦」（これが「電磁波戦」と呼ばれる）に対応するために、新たな位置づけと新装備による武装でもって創設されようとしているのだ。

陸自西部方面総監部と同じ場所にある健軍駐屯地。

ここには、すでに一九年三月に地方初のサイバー部隊「方面システム防護隊」がつくられている（自衛隊全体の共同部隊である「サイバー防衛隊」のいわば陸自内の小部隊。陸上総隊直属）。これに加えて、安倍政権が新たな「電子戦」部隊を健軍駐屯地に配備するのは、ここを日本版「マルチドメイン」部隊の最前線の出撃拠点としてうち固めるためにほかならない。実際、日米両軍は一九年秋の日米共同演習「オリエントシールド」において、健軍駐屯地を拠点として、米軍ＭＤＴＦ（マルチドメインタスクフォース）の指揮のもとで、戦闘部隊と一体となった初の「領域横断」作戦の訓練を強行した。このことに安倍政権の意志が示されているのだ。

健軍駐屯地に導入される「ＮＥＷＳ」

　米中冷戦下の緊迫のなか、九州の自衛隊・米軍の基地が対中国の前線拠点として急速に強化されている。健軍駐屯地を「電子戦」部隊と「サイバー戦」部隊の前線拠点として急速にうち固める追求は、そうした基地強化の一環なのだ。

「電磁波領域」「電子戦」とは何か

いわゆる「電磁波」領域における軍事行動は、電磁波を利用して戦闘をおこなう「電子戦」と、電磁波の活用を管理・調整する「電磁波管理」とに大別されるという。そして前者の「電子戦」は、①敵の戦闘能力を低減したり無力化したりする（「対処」）、②敵の電磁波攻撃を抑え防御する（「防護」）、③「対処」や「防護」を実施するために必須の情報収集（「支援」）の三つからなるといわれている。

　このうち①の「対処」は、敵軍の通信機器（ＧＰＳを含む）やレーダーにたいして、強力な妨害電波（ジャミング）を浴びせる攻撃である。これによって敵軍内の通信を遮断したり、レーダーを機能不全に追いこんだり、ＧＰＳ（全地球測位システム）によって誘導するミサイルや無人機を無力化したりする（電磁波攻撃）。②の「防護」は、敵軍の電磁波攻撃にたいして、自衛隊の部隊内の無線通信の出力を一時的に増減させたり、敵軍の妨害電波を察知すると瞬時に部隊の通信周波数を変更するなどして、防御するというものである。③の「支援」は、①と②のために敵軍の電波（電磁波）の使用状況（周波数や出力、発信源の方向、周波数の変更パターンなど）を把握する任務だ。

こうした「電子戦」を陸上で展開するために防衛省が開発したのが車載型ネットワーク電子戦システム（NEWS）と呼ばれる装備だ（一台一〇〇億円）。すでに陸自通信学校に導入し、二〇年度に健軍の部隊にも導入しようとしている。

ロシア軍が、ウクライナ侵攻（一四年）において、はじめて「電子戦」と「サイバー戦」を一体化させた攻撃をおこなった。いわゆる「ハイブリッド戦闘」だ。ロシア軍は、ウクライナ軍の無線通信を妨害電波で遮断するとともに、GPSを利用した無人機も機能不全にした。これによって戦場のウクライナ軍兵士が司令部との連絡に携帯電話を使わざるをえないように追いこんだうえで、サイバー攻撃によって各兵士の携帯電話に虚偽指令を送り誘導して待ち伏せ攻撃をしかけたのだ。

このロシアと結託して中国の習近平政権がアメリカに対抗して「宇宙・サイバー・電磁波」領域での専門部隊の増強に突進している。

この中・露の「電子戦」の戦力強化を見せつけられた米・日両権力者は、米軍と自衛隊一体の「電子戦」能力の強化にのりだしたのだ。陸自だけでなく、新たな「電子戦」航空機（スタンドオフ電子戦機、一機一五〇億円）を開発し、航空自衛隊に導入しようとしている。この電子戦機は敵機（戦闘機・電子戦機・空中警戒管制機）にたいする強力な妨害電波を浴びせるものだという。まさに電磁波が砲撃なみの威力をもつというわけだ。

自衛隊内の無線通信は、妨害電波を感知すれば即座に自動で別の周波数に一斉変更するシステムをすでに構築している（これは米・中・露なども同じ）。不断にチャンネルをスクランブルさせながら相手に妨害されないように通信を維持してもいる。GPS

などを利用した位置確認や誘導技術もひろがっている。これをお互いに妨害・防御するのが「電子戦」なのだ。こうした最先端技術を使った軍事通信の〝遮断合戦〟とでもいうような「電子戦」が現在の戦場ではくりひろげられているのである。

「水陸機動団」と一体で前線投入

　安倍政権は、陸自「電子戦」部隊（と「サイバー戦」部隊）を、水陸機動団（＝日本版海兵隊、長崎県佐世保市など）や陸自西部方面隊の即応機動連隊（熊本市）などと一体で、離島などの前線に真っ先に送りこむ計画なのである。陸自の幹部は「九州には有事の初動対処部隊が集約される」とのべている。この特殊な上陸戦闘部隊を搭乗させ前線に運ぶとされているのが、佐世保の空母型護衛艦や呉（広島県）の輸送艦（＝揚陸艦）の部隊であり、佐賀空港に配備が計画されている陸自オスプレイ部隊なのだ。

　われわれは、既成指導部の一切の闘争放棄をのりこえて、〈反安保〉の旗高く、日米共同の対中国戦争遂行体制づくりに反対するのでなければならない。

池上菊三郎

米海兵隊を対中国最前線展開部隊に再編

　アメリカ海兵隊総司令部は二〇二〇年三月二十六日に、今後二〇三〇年までの十年間にわたる海兵隊兵力の抜本的な再編計画「二〇三〇年の兵力設計」報告を公表した。

　海兵隊総司令官バーガーはこの報告のなかで、「われわれは、〔中国の〕精密・長射程の火力やその他のスマート兵器の脅威が激増していることを率直に認めなければならない」と危機感をあらわにしている。いまや習近平の中国が、在日米軍基地とグアムを射程に収める中距離弾道ミサイルや米空母をピンポイント攻撃できると称するミサイルの〝槍ぶすま〟を東・南両シナ海の沿海域に築いている。南シナ海の南沙・西沙諸島の軍事要塞化を完成させ、空母機動部隊の創設・強化、米日のＭＤ（ミサイル防衛）システム網を突破しうる極超音速兵器や衛星破壊兵器の開発などに突進している。アメリカの軍事的優位を突き崩さんとして猛然とキャッチアップをはかるこの習近平中国を主敵とする対中国戦争遂行体制を構築するためにトランプ政権・海兵隊総司令部がうちだしたのが、米海兵隊のこの新たな軍事作戦構想と兵力再編の計画なのだ。

兵力運用上の位置づけの「転換」を明示

バーガーはこの報告で海兵隊の任務を、「イスラム国」などの「非国家的な主体」を対象とする「非対称戦争」の遂行を主軸とするこのかんのそれから、インド太平洋地域において軍事的に伸張する習近平中国という「大国とのせめぎ合い」にうち勝つことを基本とするものへと、「全面的に転換」すべきだと明言している。これにともない報告では、作戦域の中心が中東内陸部から第一列島線を含む中国の沿海域へと転じられた。敵地内陸部への迅速な着上陸侵攻作戦の遂行に重点をおいてきた海兵隊の兵力運用上の位置づけが転換され、装備がハイテク化され大増強された中国軍との第一列島線をはさむ攻防に勝利することを基本任務とする、という新たな指針が明示されたのだ。

海兵隊の兵力構成にかんしても、従来は海から敵国への強襲上陸作戦およびその内陸部への迅速な侵攻作戦を遂行するために、陸軍とも部分的には重複する重装備と大規模な人員を擁してきたそれを、抜本的に再編成する施策がうちだされた。これらのことがバーガー報告の最大の特徴をなしている。

具体的には、以下のような兵力再編成の計画がうちだされている。

ＨＩＭＡＲＳロケット砲兵部隊を三倍増

まず第一に、ＨＩＭＡＲＳ（高機動ロケット砲システム――註1)を装備するロケット砲兵中隊を、現行の七個からじつに三倍増の二十一個中隊へと増強する。バーガーは「この投資はやがて、われわれの抑止力の基本的な要件となるとともに、海軍が長距離かつ精密な対艦射撃作戦を展開することを可能にするであろう」と述べている。

また、軽装甲偵察中隊を九個中隊から十二個中隊へと増強するとともに、無人偵察機(UAS)中隊を三個中隊増やして二倍増の六個中隊へと増強する。

海兵隊全体の兵力規模でいうならば、二〇三〇年までに約一万二〇〇〇名の兵員を削減して、総勢一七万人程度にする、とされている。

小規模部隊が分散し機動的に展開する作戦にとって〝不適合〟とみなした兵器や部隊――歩兵部隊・戦車部隊・一部の航空機部隊など――を削減する計画がうちだされている。とりわけ、このかん陸軍と同じく最新鋭のM1Aエイブラハム戦車を装備して増強してきた海兵隊の戦車部隊にかんしては、これを全廃する、とされている。

海兵隊のなかで中心的な位置を占めてきた強襲水陸両用中隊も、六個中隊を四個中隊に縮小する。海兵航空部隊にかんしては、一個戦闘攻撃機中隊あたりの航空機の数を現行の十六機から十機へと削減する(十八個飛行中隊体制という枠組みそれじたいは維持)、など。

第一列島線に迅速展開する「スタンドイン部隊」

こうした抜本的な兵力再編策は、以下のような第一列島線を戦場とする新たな作戦構想にもとづいてうちだされている。めざすべき新たな海兵隊のイメージを、バーガーが「将来のスタンドイン部隊」(敵側の勢力圏内にとどまって戦う部隊)と表現していることに、そのねらいは端的に表現されている。

中国軍の中距離弾道ミサイル群の射程内(このことを海兵隊は「中国軍とせめぎあう環境下」と表現している)にある第一列島線上の島嶼群に、有事において海兵隊部隊は次つぎと迅速に着上陸する。そこから中国軍の艦船や航空機をＨＩＭＡＲＳなどの精密誘導兵器を用いて攻撃し、また味方の戦闘攻撃機部隊などへの武器・燃料の補給をおこなう。――このような作戦行動を海兵隊の新たな任務の中軸とするというのだ。

こうした島嶼部における作戦行動を、海兵隊総司令部は「ＥＡＢＯ（遠征前方展開基地作戦）」と呼んでいる（註2）。こうした作戦行動をくりひろげるために、海兵隊の最小単位を機動力に富む小編成の部隊へと改編する。それらの部隊が島から島へと敏捷に移動して中国軍のミサイルによる反撃をかわしつつ、中国軍艦船に〝ヒット・アンド・ラン〟式の攻撃を次つぎと加え、同時に航空機部隊の作戦を支援する。――これが、海兵隊の新たな兵力運用の構想なのだ（註3）。

陸自水陸機動団を在沖米海兵隊に一体化

バーガーは、こうした新たな作戦構想にのっとって、有事に第一列島線上の島々に迅速に展開して中国軍を攻撃するためのミサイル能力と機動力を兼ね備えた専門部隊として、「海兵沿岸連隊」と称する新たな一個連隊を沖縄駐留の第三海兵遠征軍（ⅢMEF、司令部は沖縄県うるま市のキャンプコートニー）のなかに試験的に編成配備し、今後演習を重ねながら改良をくわえていくとしている。『琉球新報』二〇二〇年三月二十五日付の記事によれば、第三海兵遠征軍には三つの「沿岸連隊」を創設するほか、世界中に展開可能な三つの海兵遠征部隊（MEU）を設ける、ともいわれている。もしもそうだとすれば、沖縄駐留の海兵隊部隊を現在の三倍規模に増強することをそれは意味する。」

陸自水陸機動団と米海兵隊が沖縄で合同訓練

アメリカ権力者は、この新たな海兵隊再編指針にのっとって、日本版海兵隊たる陸上自衛隊水陸機動団などの日本国軍部隊を、「スタンドイン部隊」としての米海兵隊部隊に組みこむ策動をますます強めている。対中国の軍事包囲網を再編強化していくためにも、彼らは日本の権力者にたいしてこれまで以上の「役割分担」を強力に押しこむにちがいない。海兵隊総司令部が今回の報告において強襲水陸両用中隊や戦闘攻撃機中隊やティルトローター中隊を削減する方針をうちだしたのは、陸自水陸機動団や海自のF35B部隊さらにMV22オスプレイ部隊などを米海兵隊の一翼に組みこむことをあらかじめ計算に入れているからにほかならない。

こうしたアメリカ権力者の要求に唯々諾々とつき従っているのが、トランプ政権に日米新軍事同盟の鎖で締めあげられている安倍政権だ。この極反動政権は、新型コロナウイルス・パンデミック下で労働者・人民が明日をも知れぬ生活苦に呻吟しているにもかかわらず、日本国軍にF35戦闘攻撃機やMV22オスプレイさらにAAV7水陸両用強襲車両などの超高額のアメリカ製兵器をあいついで導入・装備するための莫大な予算を平然と計上している。それだけではない。今二〇年の二月には水陸機動団と在沖米海兵隊部隊との合同で、ＥＡＢＯ構想にのっとった離島地域へのＨＩＭＡＲＳ迅速展開戦術を基軸とする初の公式訓練を、すでに沖縄で開始してもいるのだ。

日米安保条約六十年の今日、「反安保」を完全に放擲している日本共産党指導部を弾劾しつつ、反戦・反安保・改憲阻止の闘いを全力をあげてたたかおうではないか！

註1　ＨＩＭＡＲＳ《ハイマース》は、長射程で破壊力の大きな自走式の多連装ロケット砲。どこへでも運搬できるように軽量化した軍用トラックの車体に、六連装のロケット弾六発または一発の地対地ミサイル・地対艦ミサイルを搭載できる旋回式の発射機を搭載する。

註2　ＥＡＢＯは、米軍の「動的戦力運用」構想（二〇一八年一月の「国家防衛戦略」でうちだされた）を具体化するものとして、米海軍省と海兵隊が「合衆国の統合海外遠征作戦にかんする新たなパラダイム」の名のもとに練りあげつつある、アジア太平洋地域における米軍兵力の中国を主敵とする展開および運用の作戦構想をさす。南シナ海や東シナ海を焦点とする米中が「せめぎあう海域」において武力衝突の危機が発生したばあいに、アメリカ権力者は、米軍の遠征主力部隊（主として米本土から出動する海空軍兵力＝「アウトサイド部隊」）が前線を射程に収める圏域に到達する以前に、沖縄駐留の米海兵隊部隊（およびこれに組みこんだ水陸機動団などの日本国軍部隊）を「インサイド部隊」として第一列島線上の島嶼地域にいち早く進出させそこを制圧する。

註3　海兵隊指導部は今回うちだした「兵力設計」の「出発点」として、以下の作戦構想を念頭におく、としている。①米海軍の「分散型海洋作戦（ＤＭＯ）」、②海兵隊と海軍の「敵とせめぎ合う環境下での沿岸作戦（ＬＯＣＥ）」、および③「遠征前方展開基地作戦（ＥＡＢＯ）」。これらは、中国軍が沿海部に増強配備している中距離弾道ミサイル群が米軍（とりわけ海外遠征兵力の中核をなす空母打撃群）にとって大きな脅威になっていることをふまえて、これに対抗するために「将来いかに戦うかの発展途上のビジョン」として、米海軍と海兵隊とが合同でいま練りあげつつある新たな作戦構想であるとされている。

「社会主義現代化強国」への猛進

――中国全人代が示したもの――

青島路子

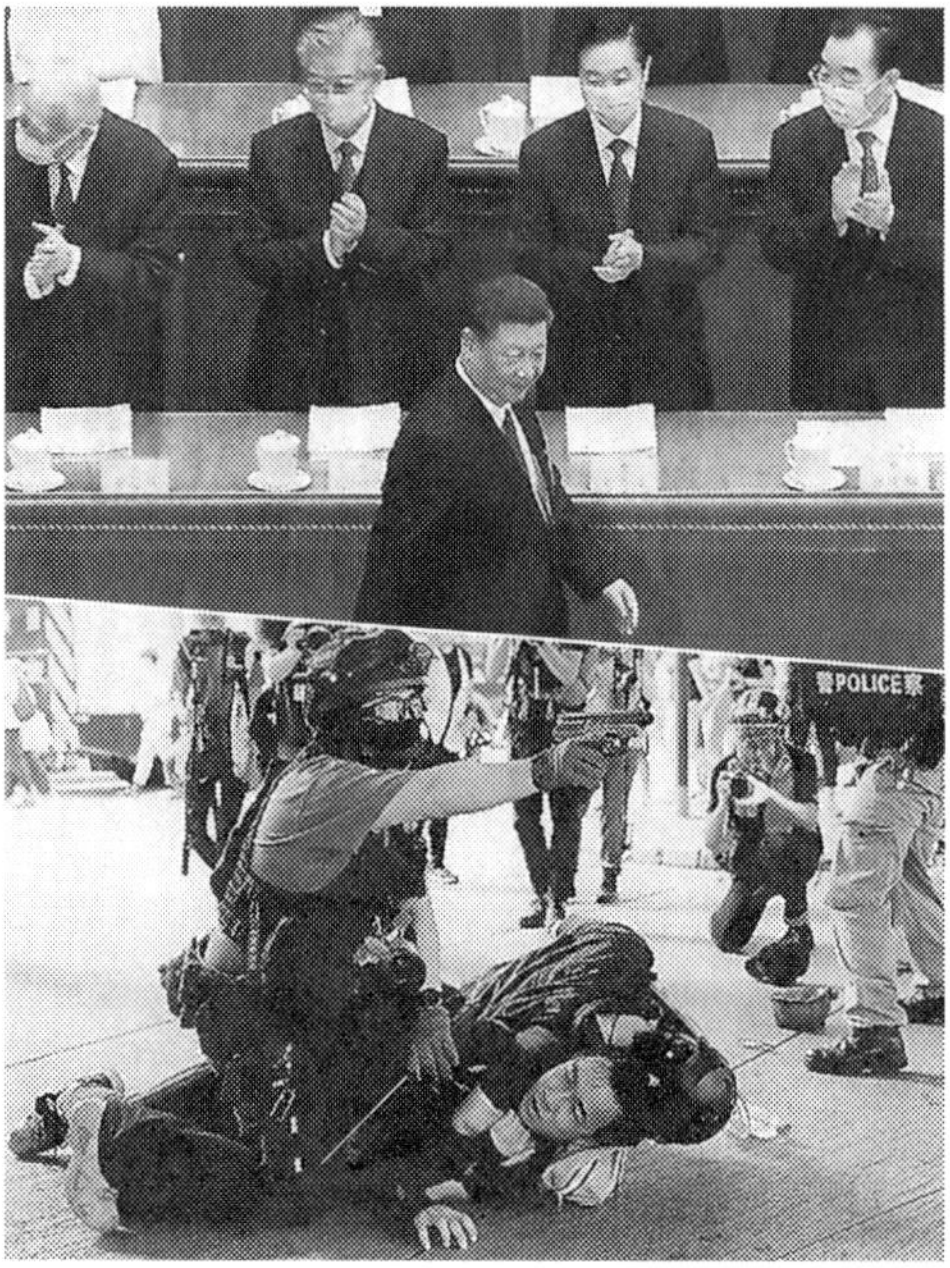

（上）全人代開幕式に出席する習近平（5月22日、北京）
（下）デモ参加者を弾圧する警察官（7月1日、香港）

「独立派」根絶を狙い香港人民大弾圧に狂奔する習近平政権

中国の習近平政権はいま、「香港国家安全維持法」（国安法）をふりかざし、「香港独立」を叫び希求する者・中央政府による香港支配強化に抵抗する者を、次々と逮捕・起訴している。北京中央の党＝国家官僚の統治に服従するのをよしとしない香港人民を

「アメリカの手先・中国国家の破壊者」と烙印して一人残らず根絶し、香港を北京ネオ・スターリン主義官僚の専制支配下に組みしこうとしているのだ。スターリン主義権力者の反人民性と残虐性をむきだしにした彼らの香港人民大弾圧を、「二十一世紀の天安門」と呼ぶべき北京のネオ・スターリン主義官僚のこの犯罪を、われわれは絶対に許さない。満腔の怒りをこめて弾劾する！

「香港国家安全維持法」の制定を、北京官僚は、五月末（二〇二〇年五月二十二日～二十八日）に開催された中国・全国人民代表大会で決定した。大会開会のわずか二日前にはじめて発表した「香港国家安全維持の法制度と執行メカニズムの導入」、習近平らは、これを今大会で採決・決定し、ただちに全人代・常務委員会に国安法の法文を作成・決定させ、およそ一ヵ月という速さで、六月三十日深夜、香港返還の二十三回目の記念日（七月一日）の前夜に、香港行政長官に施行させた。

「国家分裂・政府転覆・テロ・外国勢力との結託」を「国家の安全を破壊する犯罪」として処罰する、と謳う国安法。この法律の執行は、香港に設置する中央政府直属の機関「香港国家安全維持公署」がおこなう。その署長についたのは、広東省で人民弾圧の強権をふるってきた官僚である。

この国安法制定の狙いを、全人代第一日目に、首相・李克強の政府活動報告につづいて登壇した全人代常務委・副委員長が端的に語っていた――「『香港独立』を主張する反中央・香港かく乱分子は一部の外国勢力と結託合流し、国家の統一破壊と国家分裂の活動をしている、これを防止・阻止・処罰しなければならない」、と。習近平ら北京官僚指導部の「香港独立派」にたいする憎悪と、その背後にいると彼らがみなすアメリカ帝国主義にたいする敵愾心が、ここには端的にしめされている。

北京の中央政府の強圧に怒りをつのらせて「天滅中共」「香港独立」と叫ぶ人民を「アメリカの手先」とみて憎悪をたぎらせ、彼ら「独立派」とその後ろ盾とみた「民主派」指導部の根絶に、北京のネオ・スターリン主義官僚どもは駆りたてられたのである。「香港における国家の安全問題に責任を負っているのは中央政府である」と威丈高に宣言して習近平政権は国安法を制定・施行し、「独立派」を根絶し・いっさいの抵抗を圧殺して、香港人民を中央政府とその暴力装置の支配のもとに組みしく暴挙にうってでた。「高度な自治」を謳った香港の「一国二制度」を、ここに、まさに最後的に破壊しさったのである。

この暴挙を眼前にしていよいよ独立志向をつよめている台湾・蔡英文政権にたいしては、李克強がその全人代・政府活動報告において、「台湾との統一」を、わざわざ「平和」の二文字を削って、声高に叫んだ。台湾を〝取り戻し〟国家的統一を果たすためならば中国は「武力行使の選択肢を放棄せず」と、トランプ政権の軍事的・政治的支援にすがって独立を希求する蔡英文政権にむかって宣言したのである。

全人代と時を同じくする五月末に中国軍幹部の一人は言ってのけた――台湾独立の動きにたいしては「あらゆる必要な措置を講じる」、「今日の中国はかつてのような軟弱な中国ではない」、と。そして現に中国軍機を台湾空域に侵入させるなど、習近平政権は、台湾政府およびそれを支援するトランプ政権にたいして、中国海・空軍による威嚇行動を一段とエスカレートしているのである。

コロナウイルス感染爆発と経済的破局にみまわれた没落軍国主義帝国アメリカが断末魔にのたうつこのときをとらえて、今春、習近平政権は、アメリカを一気に追いこし世界の覇者になるという「中国の夢」実現にむかっての突進を開始した。アメリカを凌駕する「社会主義現代化強国」を今世紀半ばまでには築きあげ、「祖国完全統一」も果たしたこの中国国家が世界に君臨すること、これを「中華民族の偉大な復興」と称して世界戦略としているのが、習近平を頭とする中国ネオ・スターリン主義権力者である。この国家的目標の実現にむかっての政治的・軍事的・経済的策動を、彼らは一挙に加速してきているのだ。

習近平政権は国安法実施をもって香港を中国官僚制国家のもとに全面的に〝取り戻し〟、台湾もまたいずれ必ずや〝取り戻す〟と宣告した。アメリカのトランプ政権が国安法を非難したり台湾政府との関係を強化することにたいしては、香港も台湾も「中国の内政問題」だ、「内政干渉するな」と威丈高につきつけて。「国家分裂阻止・領土領海護持」を「核心的利益」・譲ることのできない「ボトムライン」と北京官僚政府は称している。この「核心的利益」をふりかざして、今や習近平政権は、世界に君臨する「社会主義現代化強国」への飛躍をかけて、政治的軍事的な対米攻勢にうってでているのである。このことを明白にしめしているのが、今全人代にほかならない。

新型コロナ「感染抑止戦の成果」――その欺瞞と居直り

「新型コロナウイルス感染抑止という困難な戦い」において中国は「大きな戦略的成果をあげた」と李克強は政府活動報告の冒頭で胸をはった。そして言うのだ――それは「人民の奮闘の賜」であり、また「習近平を核心とする党中央のおかげ」、「中国の特色ある社会主義の導き」とその「制度の優位性」の賜である、と。「人民の奮闘」を称えるかのような素振りをとって人民を騙し・黙らせ、中華ナショナリズムを宣揚し、もって新型コロナ・パンデミックによって被った中国経済の危機突破政策の実現に動員してゆくこと、これが、今全人代で習近平政権が実現せんとしたもう一つの大きな課題であった。

「感染症対策の人民戦争の勝利」は「習近平と党中央のおかげ」だと?! ふざけるにもほどがある。感染症拡大を知りながら、当初においては情報を封殺し隠蔽し、デマ情報の流布さえ地元当局にやらせたのが、習近平政権だ。この政権が感染症対策を開始したのは、感染爆発拡大を隠しおおせなくなり、しかも、情報隠蔽と対策の遅れにたいして医療関係者だけでなく多くの人民から、さらには党内からさえ、批判が沸騰してきた後の一月も半ばすぎであった。(自己保身にかられて、「習近平は一月七日に感染対策を指示した」とする党文書の偽造までなされている。)

それだけではない。さらに感染が拡大するならば、アメリカなど帝国主義諸国の介入を招き、新型コロナウイルスの出所が武漢ウイルス研究所であることが、またそこでのコロナウイルスを使っての細菌兵器研究・開発が隠しとおせなくなることへの危機感にかられて、彼らは、感染拡大抑止に党と国家の総力を投入したのだ。武漢をはじめ主要都市の封鎖・交通遮断・医療要員をはじめ労働者・人民の全国からの徴用等々を、彼ら党＝国家官僚は、まさしく官僚的・強権的に全人民に強制した。この過程でどれほどの労働者・人民を犠牲に供したか——このことについては完全に蓋をしたままだ。

彼ら官僚どもは「感染症対策は戦略的成果を収めた」などとうそぶいている。許しがたい官僚的居直りだ。情報を隠蔽し全世界の労働者・人民を感染地獄にたたきこんだことをおし隠して居直っている。そもそも、いったい何万何十万の中国人民が感染させられたのか、そして死に追いやられたか——このことも闇の中なのだ。

このネオ・スターリン主義官僚どもは、あろうことか、トランプのアメリカでは感染大爆発と多大な死者が生みだされていることとの対比において自己を正当化し、中国国家の優越性をおしだしさえしている。許しがたいことにコロナ・パンデミックに乗じて、彼らは、ネオ・スターリン主義官僚の党が専制支配するこの国家を、その強権的な人民支配の制度を誇り、それを、アメリカをはじめとする「西側体制」を超えるもの、発展途上国に「新たな体制の手がかり」を与えるもの、などと言いなしているのである。

こうして習近平政権は、反米・反西洋の愛国主義を大々的に煽りたて、コロナ・パンデミックを引きおこしたみずからの犯罪に頬かぶりしている。絶対に許してはならない。

「小康社会実現」の破綻を隠蔽

中国国内での感染爆発とこれを押さえこむための措置のゆえに、またみずから引きおこしたパンデミックにより国際的サプライチェーンは寸断され世界経済が一挙に収縮してしまったがゆえに、中国経済もまた、一～三月の実質ＧＤＰはマイナス六・八％（前年同期比）という記録的な落ちこみになった。全人代において毎年おこなってきた経済成長目標を述べる政府活動報告の冒頭において、李克強は、「直面している試練はこれまでになく厳しい」と言わないわけにはいかなかった。だが「中国共産党創設一〇〇年」（二〇二一年）までに「小康社会を全面完成する」という目標はあくまでも掲げつづけ、「今年はその基盤をしっかりうち固める」と号令をかけた。

政府報告では経済成長の目標数値はしめさず、これにかえて李克強が強調したのは「雇用・民生・市場主体の保障」である。「小康社会実現」のメルクマールにしても「貧困脱却」だけであって、これまで語ってきたような、所得やGDPを二〇一〇年の二倍にするという数値ではない。GDPなどの「二倍増」という目標の達成が不可能であることは、すでに明らかなのである。今の状況では「予測は不可能」などと、パンデミックを口実にして数値目標は廃し、「小康社会実現」のパンクを姑息にもごまかし隠蔽したのが李克強らなのである。

中国による世界制覇をなんとしても阻止しようとあがいているアメリカ帝国主義と真っ向から対峙し、しかも全世界が〈パンデミック恐慌〉に沈みこんでいるなかでの中国経済のたて直し。そのための方途として習近平政権が掲げているのは「内需拡大戦略」だ。これまでのような外需は期待できない以上、活路は、一四億人口を有する超巨大内需市場にしかない、というわけである。

今日の中国経済を再建し、「小康社会実現」から「社会主義現代化強国構築」にむかって拍車をかけるための経済建設上の核心を、彼らは、最先端技術開発・ハイテク産業の育成強化においている。政府報告で謳われている「新型インフラの整備強化」――5G（第五世代移動通信システム）など新世代情報ネットワークやAI（人工知能）、ビッグデータなど――は、トランプ政権が槍玉にあげた産業政策「中国製造二〇二五」の今日版である。習近平政権がとりわけ重視しているのは、この国のハイテク部門の弱点である「カギとなるコア技術」の高度化であり、そのためのさまざまなかたちでの国家的支援強化である。

トランプ政権は、特定の先端技術分野ではすでに中国に追いこされつつあることに焦り狂い、とりわけ今春以降は、ＩＣＴ（情報通信技術）関連の中国企業のアメリカ（株式市場をふくめて）からの排除を策し、華為《ファーウェイ》技術など最先端企業にかんしては「制裁」と称してアメリカ企業だけではなく台湾や韓国など第三国の企業にも取引停止を強要してきている。没落帝国主義アメリカの足掻きにも似た「先端技術戦争」にたいして、習近平政権は半導体の外国依存からの脱却をめざし、半導体開発・製造を担う自国企業育成に力を入れてきたのであるが、今日それにさらに猛烈な勢いで拍車をかけている。

また、アメリカの株式市場を利用した資金調達に見切りをつけ、中国企業に上海市場や中国版ナスダックとして昨年開設した「科技板」への、また香港取引所への上場を促しているのである。

そして経済たて直しのためのもう一つの柱として彼らが謳うのは、「改革による市場主体の活力」の活用だ。数にして一億をゆうに超えると称する「市場主体」つまり諸企業を、ハイテク大企業からベンチャー企業さらに中小零細企業・自営企業を再生させ、これを「発展の新たな原動力」の名で利用することであった。

経済危機の犠牲を労働者・農民工に強要

李克強が「貧困脱却」とともに今年の最重点課題としてくりかえし強調したのは「雇用」である。

感染拡大を押さえこむために習近平政権は都市封鎖・交通遮断・国境封鎖などを実施し、生産も流通も基本的に停止させた。こうしたなかで膨大な数の農民工・労働者が解雇され、公表されている失業率（都市部、ただし農民工は除く）でさえ三月には六・二％にはね上がった。実質的な失業率は二〇％を超えると言われている。

三月なかば以降、企業の操業が徐々に再開されたが、まずは日・欧などの外資系企業や外資との合弁であり、次いで国有・民営の大企業であった。中小零細の民営企業や個人経営の多くは休止あるいは倒産状態のままだ。これら中小零細企業が、今日では労働者雇用の八割以上をしめている。それゆえ五月になっても失業率はほとんどまったく下がらなかった。四～六月のＧＤＰが前年同期比三％強プラスになっても雇用はまったく増えない。なお二億もの失業者が呻いているのだ。その多くは農民工である。不安定な・使い捨て自由な仕事にしか就くことができず、今回の不況下でもまず第一に解雇されたのが、彼らなのだ。

習近平政権が「雇用最優先」と謳っても、それは「市場主体」とりわけ中小零細企業の資本家を支援して操業を再開させる、ということでしかない。巷にあふれている労働者・農民工は、操業再開にこぎつけた企業経営者・資本家たちにとって買いたたかれ、これまでよりもさらに低い賃金で酷使されることになろう。解雇をまぬかれた労働者たちは、すでに賃金を大幅に切り下げられているのである。

こうしたかつがつの暮しでも、文字どおりに食うに困った過去に比すれば〝まずまずの暮し〟、つまりは「小康社会の現実だ」と呼ぶことにしたのが、北京政府指導者どもなのである。そもそも、労働者・農民工・農民たちと、中央・地方の官僚層・国有企業の資本家的経営官僚・巨大民営企業の資本家や経営陣（彼らはほとんど皆、党員である）との貧富の格差はますます拡大している。この現実を習近平らは、中国は「社会主義の初級段階」にあり、その「小康社会」は「均等主義ではない」と平然と言い放って居直り正当化しているのだ。

「改革による市場主体の活力引きだし」を謳うと同時に「習近平を核心とする党中央の地位と統一的指導の強化」を号令しているのが、中国共産党を名乗るネオ・スターリン主義党だ。この党がすべてを指導し専制支配する中国官僚制国家の強化に狂奔する習近平政権。「一つの中心、二つの基本点」(註)を唱えた鄧小平の路線をうけつぎ実行する習近平指導部を頭とするこの北京官僚政府の支配のもとに中国勤労人民は縛りつけられ、苛酷な労働と惨めな暮しを強制されている。この労働者・人民の内には怒りがヨリ深くヨリ激しくたぎってきているだろうことは、確かである。

米・中両権力者は、軍事的にも政治的にも、そして経済的にも、いよいよ熾烈に角逐の火花を散らしている。没落軍国主義帝国アメリカとのこの激闘を勝ちぬき「世界の覇者」になりあがらんとして、香港人民・中国人民をネオ・スターリン主義官僚専制国家の強権的統治のもとに組みしき、また、中国だけではなく全世界の勤労人民を戦争と貧困と感染死につきおとしているのが、習近平政権だ。中国ネオ・スターリン主義の党と国家による反労働者的・反人民的犯罪を、世界の労働者階級は断じて許してはならない。

註　「経済建設を一つの中心」として、「改革開放」の堅持と「四つの基本原則（社会主義の道、人民民主主義独裁、マルクス・レーニン主義・毛沢東思想、共産党の指導）の堅持とを二つの基本点とする」。

＜本誌掲載の関連論文＞

・香港国家安全維持法の制定・施行弾劾！　（第三〇八号）

・新型コロナウイルス肺炎　情報統制・隠蔽に狂奔する習近平　梅林芳樹　（第三〇六号）

・「世界の覇権」奪取を宣言――中国「建国七十年」式典　青島路子　（第三〇五号）

・ネオ・スターリニスト習近平政権の香港人民への武力弾圧を許すな　（第三〇三号）

〈パンデミック恐慌〉下の解雇・賃下げ攻撃を打ち砕け

首都東京を中心に新型コロナ感染者が急拡大しつつあるなかで安倍政権は今、感染拡大をくいとめるための策はいっさい放棄し、困窮する人民を見殺しにしている。この政権は、もっぱら独占資本家どもの要求に応えて、大企業支援策を次々とくりだしている。「経済活動再開を最優先する」と称して、感染再拡大のまっただなかで、かつ九州・熊本県を中心とする集中豪雨の大災害が発生し労働者・人民が苦しんでいる渦中に、ＪＲ各社など鉄道会社や旅行業大企業のために「Ｇｏ Ｔｏ キャンペーン」なるものを前倒しにして二〇二〇年七月二十二日から開始することをうちだしたのだ。

独占資本家どもは「コロナ不況」を口実として解雇や一時帰休による賃金カットを労働者に強制している。彼らは安倍政権の手厚い支援を受けつつ、「コロナ禍を産業のデジタル化のチャンスに転じよ」と叫びたてて事業構造・産業構造を再編していくために労働者にさらなる犠牲を強制しているのだ。こうした独占資本家どもの攻撃によって今、さらに多くの労働者・人民が貧窮のどん底に叩きこまれているのだ。政府が支給しつつある、わずか「一回きり・一〇万円」の給付金など〝焼け石に水〟にすぎない。それさえも、いまなお過半の労働者の手元に届いてもいない。いよいよ生活に困窮する労働者が激増しているのだ。

すべての労働者・学生・人民は、団結して独占資本家どもによる解雇・賃下げ攻撃をうち砕け！　困窮する労働者・人民を見殺しにする安倍政権打倒の闘いに、決意も新たに決起せよ！

労働者を困窮に突き落とす独占資本家ども

〈パンデミック恐慌〉下で資本家どもは、経営危機をのりきるために、次々に労働者を解雇している。製造業では、すでに経営が悪化していた日本製鉄・JFEや日産・三菱自動車などの経営者どもが、工場閉鎖による人員削減を決定しただけではなく、コロナ危機下での大幅な減産による一時帰休＝賃金カットを労働者に強いてきている。トヨタ自動車などの経営者どもは、口先では「非正規も含め雇用を守る」と言いつつ、大幅な減産をおこなった四月〜六月のあいだに「新規募集停止・欠員不補充」というかたちで契約切れの期間工（有期雇用労働者）や派遣労働者を無慈悲に切り捨てた。独占資本家どもは、これまで納入単価の切り下げを強要し収奪しつづけてきた下請け中小企業にたいして、今度は発注量を大幅に減らして犠牲を転嫁している。この売り上げの減少をのりきるために中小・零細企業の経営者どもは、労働者に休業による賃金カットを強要したのみならず、多くの派遣労働者を、とりわけ外国人労働者を次々と雇い止めにしている。彼ら労働者の多くは住む家も失って路頭に放り出されているのだ。

宿泊業・飲食業・小売業などでは、四月いらいの政府による「休業要請」のもとでパートやアルバイトで働く労働者・学生や派遣労働者の多くが雇い止めや自宅待機を強いられてきた（非正規雇用労働者が一三〇万人も激減！）。休業を強いられた六〇〇万人（四月）もの労働者たちは、その半数が「緊急事態宣言」終了後のいまも休業を強いられているのみならず、経営者から「今後も需要回復が見込めない」という理由で次々と解雇されているのだ。数多の個人請負労働者も、資本家どもの「契約打ち切り」によって仕事を失った。

独占資本家どもは、企業の延命のために、これまで徹底した生産性向上と賃金抑制を労働者に強いることによって積みあげてきた膨大な内部留保に手をつけることなく、「コロナ不況」を口実として一切の犠牲を労働者や中小・零細企業に転嫁しているのだ。まさにこのゆえに、一〇〇万人を超える労働者たちが一挙に首を切られ仕事を奪われて困窮のどん底につき落とされているのであり、さらに多くの労働者が大幅な賃金カットに苦しみ、いつ解雇されるかという不安にさいなまれているのである。

「産業のデジタル化」に狂奔する政府・独占資本

政府・独占ブルジョアジーは今、〈パンデミック恐慌〉のもとで企業の生き残りを賭けて、「経営難」を口実として労働者に解雇したり一時帰休による賃金カットを強要するとともに、サプライチェーンの再構築と「産業のデジタル化」にむけて突進しはじめてもいる。

新型コロナ・パンデミックに直面して各国権力者が国境を閉じ都市を封鎖することによって、「世界の工場」中国を中心に形成されてきた世界的なサプライチェーンが寸断されて世界中で物質的生産が止まったのであった。しかも、「二十一世紀世界の覇権」をアメリカから奪取する策動を強めている習近平の中国を封じこめるために、アメリカのトランプ政権が中国系ＩＣＴ（情報通信技術）企業との取り引きに規制をかける対中政策を次々にうちだしている。これらのゆえに、重要製品（部品）の生産を中国に依存することを「事業継続上のリスク」とみなし、安価な労働力と製品を求めて中国依存を深めてきたサプライチェーンの見直しにふみだしたのが、日本の独占資本家どもなのだ。すでに諸独占体は、安倍政権の強力な後押しのもとに、中国以外のアジア諸国などに生産拠点を分散したり国内生産に回帰したりするというかたちでサプライチェーンを再構築しはじめているのだ。

それと同時に、政府・独占資本家どもは、「コロナ禍を第四次産業革命での立ち遅れを挽回するチャンスに転じよ」と叫びたてて、「産業のデジタル化」の名のもとに事業構造・産業構造の再編に突進している。諸企業経営者は、「デジタル・トランスフォーメーション（DX＝デジタル革新）」を掲げ、デジタル技術を活用した新事業（ビッグデータのAI〔人工知能〕による解析にもとづく新たな製品・サービスの開発・販売など）の創出に狂奔している。また、「テレワークの拡大によって業務の無駄が明確になった」とか「感染防止のためには工場のさらなる自動化が必要だ」とかと称して、直接的生産過程のみならず業務過程・流通機構へのAI・ICT機器の導入をさらに急いでいる。それにともなって人員の大幅削減を強行しつつ、残された労働者に膨大な業務を担わせることによって労働強度の増進を強制しているのだ。

しかも彼らは、「緊急事態宣言」発令を機に「テレワーク」を一挙に広げたことにふまえて、「テレワークは時間で評価できない」とほざきながら、労働時間管理・人事評価・賃金支払い形態などのすべてを抜本的に改変することを急いでいる。すでに日立や富士通の経営者は、「緊急事態宣言」解除直後に、「テレワークを標準の働き方にする」と称して会社出勤日数を減らすとともに、「ジョブ型」の「人事管理制度」（採用・昇格・昇進や人事考課、賃金支払い形態などの諸制度）の導入を今年度中に前倒しで実施することを発表した。まさに彼らは、新型コロナ・パンデミックへの対応をテコとして、日本型雇用慣行（終身雇用制・年功序列型賃金）を最後的に一掃しようとしているのだ。

外資系ＩＣＴ企業と競っていわゆる「ＩＴ人材」を獲得するために「ジョブ型」の雇用形態と「仕事・役割・貢献度」重視の賃金支払い形態を導入し、「ＩＴ開発職」の労働者には相対的に高い賃金を支給する。これらの労働者には、裁量労働制や「高度プロフェッショナル制」という名の労働時間規制の適用除外制度のもとで、「高い報酬にみあった成果をあげよ」と迫るのだ。他方で、その他の職務を担う大多数の労働者には——賃上げのためにはスキルと成果をあげて昇格せよと迫りつつ——低賃金を強制することをもくろんでいるのだ。とりわけ彼らが「定型業務」と位置づけた職務は〝付加価値を生まない〟とみなして、この職務を担う労働者を低賃金の有期雇用労働者や派遣労働者・個人請負労働者に切りかえることをさらに徹底するだけではない。ＡＩ機器の導入によって彼ら非正規雇用労働者もやがて放逐することを狙っているのが、独占資本家どもなのだ。

こうした独占資本家どもの雇用施策とこれへの労働貴族の協力とによって、さらに多数の労働者が貧窮のどん底に叩きこまれ、労働者階級内部における階層分化と所得格差の拡大のもとで労働者は相互に競って能力と成果をあげることをますます強いられていくに違いないのだ。

すでに非正規雇用労働者が全労働者の四割を占めてきた日本において、〈パンデミック恐慌〉のもとで労働者の貧困化は一挙に深刻化している。資本家・経営者どもによって一瞬にして解雇・雇い止めされた非正規雇用労働者をはじめとする労働者たちの多くは、低賃金で貯金もないがゆえにただちに貧窮生活に転落した。その他方で、労働者を強搾取して膨大な利潤を獲得してきた独占体の資本家・経営者どもは、巨額の役員報酬や株式配当を取得し、政府による株価の人為的つり上げによって巨万の富を蓄えたのだ。

〈パンデミック恐慌〉のなかでむきだしになったのは、まさに資本家階級と労働者階級との階級分裂であり労働者の困窮化だ。まさにそれは、古典的階級分裂と古典的貧困の拡大というべき事態なのだ。労働者に極限的な犠牲を強いて延命をはかっているのが、末期資本主義なのだ。

労働法制改悪と治安弾圧体制強化に突進する安倍政権

労働者が貧窮に苦しんでいる今日このときに、安倍ガタガタ政権は「雇用と事業継続が最優先」という看板だけは掲げながら、労働者への生活支援はなおざりにして、もっぱら独占資本支援に狂奔している。「総額一三〇兆円の資金繰り支援」や「日銀による一一〇兆円の支援プログラム（社債や資本金扱いされる劣後債の購入など）」などの巨費を独占資本救済に投じることを決定したのが、安倍政権だ。

この政権は、七月十七日に閣議決定する予定の今年度版「骨太の方針」（経済財政運営と改革の基本方針）において、「日本が世界から取り残され埋没してしまいかねないとの切迫した危機意識」なるものを煽りつつ、「社会全体のデジタル化」や「働き方改革」（「テレワークの推進」、「雇用類似の働き方」や「副業・兼業」にかんする法整備など）をすすめると宣言した。それは、「デジタル化」と労働法制の改悪をテコとして労働者をより徹底的に搾取しようとしている独占資本家どもの要求に全面的に応えるものなのだ。

安倍政権は、「雇用類似の働き方」なるものを後押しする法制度をつくりだそうとしている。「雇用契約」ではなく「業務委託（請負）契約」を結ぶことによって労働者を労働時間規制も最低賃金法も適用されない「個人事業主」（フリーランス）として使い捨てにする、このようなあくどいやり方を――契約書の義務づけや労災保険の特例加入対象を拡大することなどを〝免罪符〟として――法的に正当化することを狙っているのだ。「副業・兼業」についても、企業に労働時間の上限規制にかんする責任や割増賃金を支払う義務を免除するために、労働時間管理を労働者の自己申告に任せ、本業と副業の労働時間を通算して残業割増賃金を払う現行制度も骨抜きにしようともくろんでいる。それは、低賃金のゆえにダブルワーク・トリプルワークで働かざるをえない労働者をさらに増やす犯罪的な規制緩和策だ。

この政権は、〈パンデミック恐慌〉のもとで就職難にみまわれている学生の苦境につけこみ、「雇用対策」の名において「自衛隊員の新規採用を積極的に行う」ことを「骨太の方針」に明記した。まさにこれは「経済的徴兵制」だ。

安倍政権は、「骨太の方針」において内閣官房を司令塔として「行政のデジタル化」をこの一年で一気にすすめることも宣言した。とりわけ行政手続きの「オンライン化」を一挙におしすすめようとしている。そのためにも、「マイナンバー制度の改善が必要だ」と称して、マイナンバーに銀行口座を紐《ひも》づけることや、マイナンバーカードに健康保険証機能(二一年三月実施予定)のみならず運転免許証・健康管理データ・電子マネーなどの機能を付加することを検討している。「行政事務の効率化」の名のもとに安倍政権は、マイナンバー制度=国民総背番号制を活用し、国民総監視・総管理体制の強化に突進しているのだ。これこそ日本型ネオ・ファシズム支配体制を強化する攻撃にほかならない。

貧窮人民見殺しの安倍ネオ・ファシスト政権打倒へ突き進め

わが同盟とたたかう労働者・学生は、コロナ対策で無為無策ぶりを露わにし貧窮人民を見殺しにしつづけている安倍政権を徹底的に弾劾し、その打倒を労働者・人民に呼びかけて奮闘してきた。わが革命的・戦闘的労働者たちは、たたかう全学連の勇士たちとともに、安倍政権・独占資本家どもへの怒りに燃えて全国で労学統一行動（6・14および6・21）に勇躍決起した。これらの闘いによって安倍政権をいまや断崖絶壁に追いつめているのだ。

たたかう労働者たちは、労組がある職場でも、労組がない職場でも、〈パンデミック恐慌〉下での解雇・雇い止めや賃金カットを阻止するために奮闘している。無給や超低額の手当で労働者を一時帰休させている経営者にたいして、「賃金全額」の支給を求め、休業手当の支給やその額の引き上げを勝ちとっている。感染対策に必要な資材を企業（自治体）の責任で確保することや感染が疑われる労働者が有給の特別休暇をとれるようにすることを経営者に要求し獲得してきた。これらの闘いをつうじて革命的・戦闘的労働者たちは、労働組合のもとに結集することによってこそ労働者の利益を守れるという確信を職場の仲間たちのなかにつくりだし、労働者たちの結束を固め――左翼フラクションの組織化をテコとして――労働組合を創造し強化・拡大しているのだ。

ところが、〈パンデミック恐慌〉下で数多の労働者が解雇され困窮しているにもかかわらず、「会社の持続的発展こそが大事だ」と称して経営者どもによる解雇や一時帰休による賃金カットなどに協力しているのが、「連合」指導部を牛耳る大手企業労組の労働貴族だ。神津里季生ら「連合」指導部も、労働相談窓口を開設し、相談内容を公表することをもって、あたかも労働者のために活動しているかのように装っているにすぎない。彼らが力を入れているのは「北欧のような『失業なき労働移動』の仕組み」の構築を政府に要請することである。だがそれは、解雇を容認したうえでセーフティネットの構築を求めるものであって、「雇用の流動化」の名において解雇規制の緩和と新たなスキル習得を支援する制度の強化を求める独占資本家どもとそれらの制度化をめざす安倍政権を後押しするものだ。この「連合」方針は、資本家どもの解雇に協力する犯罪的方針なのだ。

他方の「全労連」日共系指導部は今、「コロナ禍だからこそ最低賃金引き上げを」というスローガンを掲げ、「内需拡大による日本経済の再生」のために「最低賃金の引き上げ」や「社会保障の充実」などを政府に請願するという方針をうちだしている。この方針は、コロナ危機下で経営者がしかけている解雇・賃金引き下げの攻撃に反対する闘いを——労働組合を主体としてたたかうことを後景に押しやって——「最低賃金引き上げ」などの要求を政府に採用させるために、日共と野党（や一部の自民党議員）との共同を後押しすることに歪曲し、日共の票田開拓に従属させるものだ。

日共の不破＝志位指導部は今、〝コロナ禍で「新自由主義の破綻」と「資本主義の限界」が明らかになった〟と強調し、ヨーロッパ諸国並みの「ルールある経済社会」を実現すべきことを提起している。だが、コロナ危機に直面して貧困を強制する安倍政権と独占資本家どもにたいして労働者・人民が憤激している今日このときに、「ルールある経済社会」の実現と称して「資本主義の枠内での改良」を政府にお願いするなどというのは、労働者・人民の階級的団結の創造と政府・支配階級にたいする闘いの組織化を阻害するものでしかない。いまこそ資本主義社会における格差・貧困の根底にある階級対立への覚醒を労働者に促し、労働者階級の階級的闘いを組織化すべきではないか。

たたかう労働者諸君！「失業なき労働移動」の名において解雇・雇い止めに協力する「連合」指導部と、最低賃金引き上げなどの日共の政策宣伝に闘いを歪曲する「全労連」の日共中央盲従指導部を許すな。〈パンデミック恐慌〉下での政府・独占資本家どもによる犠牲強要に反対する闘いを、労働組合を強化しつつたたかおう。解雇・賃下げ攻撃をうち砕け！

今、ネオ・スターリン主義中国の習近平政権が新型コロナ・パンデミックをまえにして凋落を露わにする没落帝国主義アメリカから覇権を奪いとる策動を一挙に強め、これに危機感を募らせているトランプ政権が中国封じ込めに躍起となっている。この二十一世紀世界の覇権をめぐって全面的に激突する米・中が今、香港や台湾を焦点として政治的に対立するのみならず、軍事的にも台湾海峡や東・南シナ海において相互に軍事行動をくりかえし核戦力強化競争をくりひろげている。この〈米中冷戦〉下で戦争勃発の危機が高まっているのである。たたかう労働者は、全学連の学生たちと連帯して、職場生産点から〈米中冷戦〉下の戦争的危機を突き破る反戦闘争を断固としておしすすめよう。辺野古新基地建設阻止！安保破棄をめざしてたたかおう。

安倍政権は、「コロナ対策の教訓」と称して、憲法に緊急事態条項を新設することを狙っている。これら日本型ネオ・ファシズム支配体制を強化する策動を絶対に許してはならない。緊急事態条項の新設と第九条の破棄を核心とする憲法改悪を断固として粉砕せよ。

たたかう労働者・学生諸君！プロレタリア・インターナショナリズムに立脚して、圧政と貧困と戦争をうち砕くために奮闘する全世界の労働者・人民と連帯してたたかおう。安保同盟強化・憲法改悪に突進し貧窮する労働者・人民を見殺しにする安倍政権打倒にむけて総決起せよ！

（二〇二〇年七月十三日執筆、八月下旬加筆）

苛酷な労働を強制――厚労省「保健所改革」

高　村　育

自治体に責任をおしつけ

「第二波」といわれる新型コロナウイルスの感染が広がっているただなかで、保健所労働者の労働は苛酷なものとなっている。保健所は、春期に中止していた乳幼児健診などの住民にたいする通常の保健サービス提供を再開した。これにともなって、以前にも増して保健師ら保健所で働く労働者の業務量は増大しているのだ。政府・厚生労働省および新型コロナウイルス感染症対策分科会は「保健所機構の強化と即応体制整備」が必要と称して、人員確保や研修、外部委託、ＩＣＴ（情報通信技術）等の活用を各自治体当局に指示している。

しかし、政府・厚労省による「保健所機構の強化」策は、およそ「保健所ひっ迫」といわれる現状を打開しうるものではない。その第一の施策としてうちだされた「必要人員の確保」とは何か？　それは、各地方自治体がそれぞれ独力で「本庁や関係機関からの応援派遣やＯＢ職員の復職」を実施せよ、というものだ。厚労省は、「保健所の人員確保は、まず自治体の内部でのやりくりが筋」などと自治体の〝自己責任〟論を唱え、クラスター対策要員いがいの人員を、国から派遣する構えなどはまったくないのだ。東京都で最大の感染者を抱える新宿区では、都からの派遣職員を臨時に増やしたのであるが、それでも現場は欠員状態のままである。また厚労省は、全国で離職中の保健師や看護師など五万人に復職を求めたが、二〇二〇年七月二十九日現在までにおよそ一〇〇〇人しか現場復帰を果たしていないし、保健師は一三八人にとどまっているのだ。この施策は、何の実効性もない、実に〝絵に描いた餅〟といわずして何であろうか。

第二の施策として保健所職員の「業務軽減」が謳われ、「可能なものの民間事業者等への外部委託」が勧められている。保健所の技能系職員を新型コロナ感染症についての「積極的疫学調査」と称する感染者の行動調査に専念させるために、発熱などで相談してくる住民の電話対応や受診調整などを医療機関や民間事業者に外部委託するというのだ。しかも厚労省は、委託された事業者が諸業務についていちいち保健所の職員に問いあわせてくることのないようにするために、保健所が責任をもって、電話相談等の〝応対マニュアル〟を整備せよという。だがこのような業務がマニュアルさえ整備すれば「委託」できるなどというのか！　感染疑いのある人が迅速に検査を受けられるようになるというのか！　まったくの〝机上の空論〟である。いやそもそも、これらの業務を民間事業者等に委託する場合、現在のPCR検査（ウィルス遺伝子検査）が「行政検査」であるがゆえに、保健所当局が当該業務の責任をもたなくてはならない。つまり、業務委託をするにあたっては、委託前には委託先事業者が当該業務を問題なく遂行しうるかどうかの「検証」を、委託後には事業者からの報告内容の厚労省への報告を、おこなうことが保健所職員の仕事となるのだ。保健所業務の民間事業者への委託は、保健所の業務をさらに増加しかねないのだ。

厚労省が〝目玉商品〟に掲げる「ＩＣＴツールの活用」が第三の施策である。感染発生状況を保健所職員がファックスで東京都や厚労省に報告していることを、政府・厚労省はことさら〝非効率〟だと描きだす。その打開策として「新型コロナウイルス感染者等情報把握・管理支援システム」（ＨＥＲ‐ＳＹＳ　ハーシス）を効率的に活用すべきだと鳴り物入りで喧伝している。ハーシスを活用すれば医師からの発生届けを保健所の職員がまとめて記入して厚労省にファックスで報告する手間を簡略化することができる、また「患者本人や医療機関、保健所等が入力した患者情報が集約され、都道府県・国まで共有可能に」なるという。しかし、すでに独自のシステムを運用している東京都や大阪府、神奈川県では、「すぐに国のシステムに移行できない」と、今もハーシスを利用していない。七月末までに完全実施することをめざした厚労省の思惑に反して、全国自治体のハーシス利用率はいまだのびていない。さらに、「ハーシスの入力項目が多すぎる。これが必要な個人情報なのか」という当然の疑問の声も医師や保健師などからあがっている。政府のワーキンググループでさえ、ハーシスの入力項目について、必ずしも「必須事項」といえないものもあり「再整備すべき」と提言せざるをえなくなっているのだ。

外部委託にしろ、ハーシスの活用にしろ、なんら保健所労働者の負担軽減とはならないのだ。保健所労働者は、入院待機者や自宅療養の感染者にたいして、感染者が入力した情報の検証や日々の体調の掌握などを細やかに柔軟におこなう必要があり、機械的な確認にとってかえられるものではない。クラスター潰しのための積極的疫学対策、症状の聞き取り、入院先の手配などを指して厚労省は、「ハーシスが機能すればこの主要業務に〔保健所が〕専念できる」というが、決して業務は軽減されないのだ。入力された情報だけではわからないところの患者の行動を聞きだし濃厚接触者をわりだすなどのクラスター潰しのための聞き取りや、配慮を必要とする感染者への対応など、保健所労働者の労働は感染拡大にともなって労働の量も増大しかつ複雑化するのである。

元凶は歴代自民党政権の社会保障切り捨て

そもそも、感染症の分野を担う保健師が確保できないのは、歴代自民党政権の社会保障切り捨て策のゆえである。その第一は、〝平成の大合併〟などによる市町村統合、これにともなう保健所の減少と、いわゆる「行政改革」の一環としてうちだされた一九九四年の保健所法から地域保健法への改定にもとづいて実施された保健所の削減である。全国の保健所は一九九二年には八五二ヵ所あったものが、二〇二〇年には四六九ヵ所と半減している。東京二十三区では、一九九七年に世田谷区や大田区でそれぞれ四ヵ所あった保健所が一ヵ所に統合された。それにともなって感染症の業務にかかわる人材も減少した。

第二の問題は、地域保健法にもとづいた保健所機能の見直しによって感染症対策が軽視され削減されてきたことである。

戦後、保健所は結核に対応した感染対策を主な業務にしてきた。しかし、一九九〇年代以降の「少子高齢化」に対応して、高齢者介護や障害者の支援、「母子保健」の課題を重視する反面、感染症対策は優先順位が低いものとされた。地域保健法にもとづいて〝保健と福祉の統合〟を旗印に保健所と福祉事務所とが統合され、多くの保健所は「保健福祉センター」に鞍替えした。保健師は若干増加しているものの、感染症の経験や知識のある保健師や検査技師は削減された。(註)

緊急事態宣言解除後、母子保健（乳幼児健診や子育て支援など）の業務は再開された。いま保健所労働者は、業務が複雑化・多様化したままで感染の第二波を迎え、クラスター対策の最前線としての役割や機能を担わざるをえないでいるのだ。新型コロナ感染症がパンデミックになっているにもかかわらず、保健所に人員も予算も増やすことなく、現場労働者に「努力するのは当然」と称しながら極限的労働強化を強いているのが厚労省・安倍政権だ。

「ＧｏＴｏトラベルキャンペーン」など経済優先の施策を優先し、労働者・人民を見殺しにする安倍政権を許すな！

註　二〇〇〇年代に入り新型インフルエンザへの対応が求められた時、全国保健所所長会では、「健康危機管理体制の拠点としての（保健所の）機能強化」のために感染症対策にかかわる人員の確保がさけばれていた。この時すでに、感染症が拡大する事態に対応できるだけの保健師・検査技師の人員が足りなかったにもかかわらず、なんらの対策もおこなってこなかったのが政府・厚労省である。

郵政「コロナ感染予防対策」の欺瞞

駒形　大

郵政経営陣は、二〇二〇年六月十六日、「日本郵便における新型コロナウイルス感染予防対策基本的対応方針」(以下「対応方針」と略する)を公表した。彼らは「監督官庁からの指導」を受けていっそう感染防止のための取り組みを進めるかのようにいいなしている。だが、経営陣はこのかんまともな感染防止対策を講じてきてはいない(本誌第三〇八号横手川宅司論文参照)。今回公表した「対応方針」は、あたかも感染対策をおこなっているかのように見せかけるためのものにすぎない。

だが、この「対応方針」にたいしてJP労組本部は、「労組の意見等を踏まえたもの」などと許しがたいことに全面賛美している。しかも本部は、「国民生活を支えるインフラ機能を維持する役割が求められる」などと組合員に説教をたれ業務に駆りたてる役目を果たし経営陣を支えているのだ。

全国のたたかう郵政労働者の皆さん! 経営陣のコロナ対策の欺瞞性を徹底的に暴きだし弾劾しよう! 同時に経営陣に追随する本部を弾劾する闘いを職場生産点から断固としてつくりだし、労働組合の戦闘的強化をかちとろうではないか! そのために、ここでは「対応方針」の欺瞞性と、経営陣の悪辣さを怒りをこめて明らかにする。

1　感染予防は二の次の「対応方針」

(1)ザル抜けの三密回避策

①経営陣は、「食堂、喫煙室、休憩・休息スペースを利用する際は、時間をずらす、座席を空ける、対面で座らない等」を三密（密閉・密集・密接）回避策としてあげつらっている。だが、いまだに具体的な対策はほとんどなされていないのだ。

②経営陣は集配労働者にたいして「対面対応時は、時間が長くならないように心掛けろ」などと言う。だが、対面時間をあえて長くする労働者がどこにいるというのか。集配労働者にとって対面配達時は、濃厚接触となる場面である。にもかかわらず経営陣は、感染防止策としてヘルメットに取り付けることができるシールドの設置・配備すらやらない。

また郵便局内では、お客が利用するロビー・カウンターに「アクリル板・透明ビニールシート等で遮蔽する」策をとっているだけで、局舎の内側はいまだになおざりだ。対外的によく見せるだけで、それ以外には経費を一切かけないことを貫いているのである。

③経営陣は密集を避ける策として、出勤人数を分散させる「時差出勤」について触れている。だが、経営陣は「時差出勤」させることは〝非効率〟と観念しているがゆえに、ほとんどの職場で実行していない。集配労働者が「時差出勤」することは、これまでの書留の授受・返納など郵便内務部門と連携し集中的におこなっていた作業を壊すことになるからである。時間のロスで超過勤務になりかねないと感覚しているがゆえに、局管理者さえも「時差出勤」をまったく無視しているのである。

④経営陣は「区分作業の際には、密を避けるためにレイアウト変更等」をおこなえという。大区分函《かん》（郵便物を区分けする棚）の背面はたくさん丸い穴が開いており、飛沫が貫通する構造となっている。大区分函の背面を向かい合わせで配置している職場では、当然にも飛沫貫通防止として区分函の背面にビニー

ルシートなどを張り付ける必要がある。また区分作業時に社員間の間隔を広げるために、作業場内のレイアウト変更はその一つの策ではある。だがこれらは、ほとんど実施されていない。経営陣は、口先だけで予算措置もせず、現場に丸投げしており、実施されなくてもまったく問題にしないのだ。それゆえに現場管理者もまた、金もかかり、時間もかかる感染防止策については放置しているのだ。

郵便局内の感染対策は窓口のビニールシートだけ

そもそも、経営陣は生産性向上のためにＪＰＳ方式（「郵政版トヨタ方式」）と称し「ムダの排除」を叫び、予備の区分函を徹底的に作業場内から撤去し、労働者が動く「導線」を可能なかぎり短くし、密集する環境をつくってきた。地域区分局では、小包区分機から続々と流れてくる大量の小包を各集配局宛に積み分けるために、労働者を一定の時間帯に集中的に配置しているのであり、密集状況になる作業環境にある。このように生産性向上をはかるために構造的に密状態はつくりだされてきたのだ。これを大前提にしているのが経営陣であり、上記のような「感染対策」はザル抜けとなることは百も承知なのだ。まさに郵便労働者のなかからいつクラスターが発生してもおかしくない状況なのだ。

⑵ズサンでやる気のない消毒・清掃

経営陣は、①お客が手に触れる「窓口ロビーの備品やＡＴＭコーナーなどの機器類」などの清掃・消毒を一日一回以上おこなうこと。②作業場内において複数の社員が触れる「トイレ、ドアノブ、照明スイッチ、ＥＶスイッチ、携帯端末、集配カバン……等々」膨大な箇所・物をあげつらい、定期的に消毒・清掃を社員がおこなうこと、としている。

複数のお客が使用する機器類の消毒をたった一回

以上とはどういうことだ。この清掃・消毒をいつ誰がどのようにおこなうのかは具体的に明らかにしていない。ようするに、窓口ロビーの場合には消毒液を配備しているだけで、あらかじめまったくやる気がないのだ。

作業場内の場合には、出入り口に消毒液を設置しているだけで、トイレやドアノブなどの消毒は現場・社員任せなのだ。

また、書留配達時など、サインをしてもらうためにお客に貸したボールペンを消毒する必要があるのだが、経営陣は消毒と言うわりには携行用の消毒液すら配備していない。

⑶管理者の業務優先の徹底化

経営陣は、感染防止対策として管理者がやるべきことを十数項目あげている。「社員本人は出社前に検温するとともに、……体調不良者から報告を受けた場合には速やかに休務させ保健所・医療機関への受診を指導する」こととか、「来局者には、発熱や風邪症状のある方には、来局を控えていただく等」のお願いをするとかと言う。だが、現場当局・管理者は、社員への注意喚起すらまともにやっていないだけでなく、感染予防対策そっちのけで業務遂行のために部下の尻をたたいている。

じっさい、ある労働者が「体調が悪い」と管理者に報告しても、その管理者はすぐ出勤停止の措置をとらなかった。それどころか「自分の判断は？」などと圧力をかけ、発熱した労働者に出社するように仕向けるという事態がうみだされてもいる。経営陣が絶対的な人員不足を放置しているがゆえに、現場の管理者は、一人休んだだけでも超勤を増やさないといけないとか、一日の業務が破綻しかねないとかと考えているからなのだ。労働者も他の労働者に迷惑をかけたくないという意識にかられて無理して出社してしまうのだ。

経営陣は「対応方針」において、「管理者指導」を徹底すると言ってはいるが、業務最優先で、感染予防対策は二の次三の次であることが歴然としている。消毒などの感染防止策をとることは経営者にとって価値をうみださず、無駄な経費負担と観念するのであって、極力経費をかけないようにしているのが経営陣＝資本家どもなのだ。社員の密を避けると称した特別休暇の付与（出勤者の抑制）を、郵便物流部門ではまともにやらなかったことにも端的に示されている。彼らは、あたかも社会的要請に応える企業として見せかけるために「感染予防対策」なるものをうちだしているだけなのである。

2 「事業の持続的発展」を最優先

このような悪辣な「対応方針」を、「まん延を防止していく役割に加え、事業をつうじた国民生活への貢献拡大という役割が求められる」などと言いなし、労働者を欺いているのが経営陣だ。

彼らは、二〇年三月期の日本郵便における連結決算において、かんぽの「不適切募集」の問題や国際物流事業の低迷など彼らがつくりだした経営上の大失敗のゆえに、減収減益に見舞われている。翌年の三月期決算ではさらに郵便物流、窓口事業ともに大幅に減収になると彼らは予想している。この郵政事業の危機突破のために経営陣は、さらなる労働者への犠牲転嫁を強めているのだ。

経営陣は、ウーバーイーツなどの「デリバリープロバイダー」など新興競合他社に対抗して、ゆうパック、ゆうパケットなどの「荷物分野の取り込み」に躍起となっている。郵便物が昨年比二・六％も減少するなかで、「郵便から荷物分野」へのシフトと称した郵便事業構造の転換に突進している。そのために彼らは、「競争力のあるオペレーションを確立」するなどと叫びたて、テレマティクス、Ｄｃａｔ（配達コミュニケーション支援ツール）、ルージア・ＬＭＡＳ（配達ルート作成システム）といったＡＩ（人工知能）やＩｏＴ（モノのインターネット）などの新技術を、莫大な資金を費やして生産過程に導入し、生産性向上に血眼となっている。

これら集配部門における一大合理化諸施策や、「土曜休配」「送達日数の緩和」の制度化を大前提に、数万人もの労働者の削減＝首切りを虎視眈々と狙っているのが経営陣どもだ。しかも彼らは、二〇

全国各地・各戦線での闘いをビビッドに報道／政府の政策や反動イデオロギーのまやかしを徹底批判／理論＝思想創造の熱い息吹き――学習や研究論文も充実／内外の時事問題を解きほぐす分析・論評記事を満載！

『解放』販売書店一覧

●北海道

MARUZEN＆ジュンク堂書店札幌店	中央区南１西１
東京堂書店	札幌市北区北24西５
TSUTAYA木野店	音更町木野大通西12

●東京都

書泉グランデ	神田神保町
ジュンク堂書店池袋本店	南池袋
紀伊國屋書店新宿本店	新宿駅東口
模索舎	新宿２丁目
芳林堂書店高田馬場店	高田馬場駅前
オリオン書房ルミネ立川店	ルミネ立川８階

●神奈川県

有隣堂本店	横浜伊勢佐木町
有隣堂横浜駅西口店	ジョイナスB1階
有隣堂アトレ川崎店	アトレ川崎４階

●群馬県

煥乎堂本店	前橋市本町

●茨城県

やまな書店	水戸市大工町

●北陸地方

金沢大学生協	金沢市角間
うつのみや金沢香林坊店	香林坊東急スクエア
うつのみや金沢百番街店	金沢駅Rinto

●東海地方

MARUZEN＆ジュンク堂書店新静岡店	新静岡セノバ５階
ジュンク堂書店名古屋店	名駅３丁目
MARUZEN名古屋本店	栄丸善ビル３階
ウニタ書店	名古屋市今池
三洋堂書店いりなか店	名古屋市いりなか
愛知大学生協	豊橋市

●関西地方

丸善京都本店	京都BAL 地下１階
ジュンク堂書店大阪本店	堂島アバンザ３階
大阪経済大学生協	東淀川区
関西大学生協	吹田市

●九州地方

福岡金文堂本店	福岡市新天町
金修堂書店本店	福岡市草香江
宗文堂	門司区栄町
ジュンク堂書店鹿児島店	鹿児島市呉服町

●沖縄県

ジュンク堂書店那覇店	那覇市牧志
ブックスじのん	宜野湾市真栄原
朝野書房沖国大店	宜野湾市宜野湾
宮脇書店宜野湾店	宜野湾市上原
宮脇書店美里店	沖縄市美原
宮脇書店名護店	名護市宮里

(2024. 10 現在)

◎『解放』掲載の主要な論文や記事の一部をホームページで紹介しています。
革マル派公式サイト　http://www.jrcl.org/　E-mail jrcl@jrcl.org
◎ 解放社の出版物はＫＫ書房でも扱っています。
TEL03-5292-1210　http://www.kk-shobo.co.jp/　E-mail info@kk-shobo.co.jp

年度の事業計画においてもコストコントロール（超勤・経費削減）をいの一番に掲げ、人件費・経費削減を強行し、乾いた雑巾をさらに絞るかのような労働強化を労働者に強いている。まさに経営陣は、「感染予防対策」そっちのけで、経営基盤の強化・生産性向上のために労働者に犠牲を強制しているのだ。

3　経営陣の「感染予防対策」に呼応するJP労組本部

この悪辣な経営陣の「対応方針」をJP労組本部労働貴族どもは、「全社員と共有することで、健康と安全が確保できる」などと全面美化している。彼らは、コロナウイルスの感染危機にさらされている現場に足を運ぶことすらしない。ふざけるな！　経営陣の業務優先かつ〝ヒト・モノ・カネ〟をかけない「感染予防対策」によって労働者は感染の危機にさらされているではないか。

郵便労働者は、大量の人員不足のなかで、「営業の声掛けをしろ」、「超勤を削減しろ」、「交通事故、誤配、労働災害をおこすな」「失敗をしたら報告書を書け」、「ＤＯＳＳ(集配業務支援システム)のデータ入力をちゃんとやれ」、「配達原簿に細かくきちんと居住情報を入力しろ」、「客の苦情処理対応もやれ」と、ありとあらゆる業務を日々強制されている。ただ働き、長時間労働、労働強化、精神的に緊張した労働を強いられ、労働者はヘトヘトで疲労困憊の状態にまでおとしこまれている。それゆえに、現場労働者には感染予防対策などをおこなう余裕はまったくなく、かつ免疫力の低下にさらされているのだ。このような現実を何ら顧みることなく、経営陣の見せかけの「感染予防対策」をもちあげているのが本部労働貴族どもだ。そればかりではない。本部は、「国民生活を支えるインフラ機能を維持する役割を果たせ」などと経営陣に同調し、労働者にたいして身を粉にして働けと号令しているのだ。本部の対応は、まさに労働者を見殺しにするもの以外のなにものでもない。絶対に許せない！

新型コロナウイルスが感染拡大した三月以降、本部はいったい何をやってきたのか。組合の取り組みを三ヵ月以上ストップし、他方で経営陣との労使協議に明け暮れてきたのが本部なのだ。事業にたいする危機感を経営陣以上に叫びたて、経営陣と新技術の導入にむけた労使協議に精をだしていたのだ。「労使運命共同体」思想をいっそう深め、組合員を犠牲にして「事業改革」に駆りたてているのが本部なのだ。「感染対策」はやっているのだから〝業務に励め〟とばかりに。

たたかう郵政労働者は、このように労働者を見殺しにするＪＰ労組本部を許してはならない。経営陣による「感染予防対策」の反動性を暴きだし反対しよう！　二万人にもおよぶ大量の人員削減＝首切り反対！　徹底した超勤削減・労働強化反対！　職場深部から労働者の団結した力を創造しつつ、ともにたたかおう！

（二〇二〇年七月二十日）

かんぽ保険早期営業再開のために労働者に重犠牲

浅口明央

日本郵政経営陣は、かんぽ保険の早期営業再開にむけて「不適切契約」問題の「決着」をはかるために、労働者への犠牲転嫁にやっきとなっている。二〇二〇年七月十六日、金融渉外労働者ら二四四八人に処分を発令した。それればかりではない。多くの金融渉外・窓口労働者にたいして、過去に遡ってかんぽ保険の募集手当――かんぽ保険の新規契約にたいして、それを販売した労働者（=募集人）に支払われる営業手当――の一方的返納を強制している。

正規の契約分の募集手当をも強制的に〝没収〟

一九年七月いこう保険の営業停止により募集手当もつかず、金融渉外・窓口労働者は生活苦に落とし入れられている。それにくわえて、給与から返納金を天引きされたり、給与額を超えるばあいは振込用紙が送りつけられ返納を迫られているのだ。これはかんぽ生命会社が、顧客の希望のみで契約無効措置をとり、労働者に一方的に手当返納をさせていることによるものだ。何の説明もなく、いきなり給与を減額された金融渉外・窓口労働者から大きな怒りの声がわきあがっている。

日本郵政経営陣は、労働者や顧客から〝詐欺まがいの営業〟や、局長・管理者による〝パワハラ〟労務管理を次々と告発された。日本郵政はそのことでブラック企業と烙印され、その払拭に躍起となっている。彼らは、「顧客の不利益解消」を前面に掲げ〝新しいかんぽ生命・日本郵便〟をおしだすために、追加調査なるものを発表した。この追加調査は、「要望があれば契約をすべて合意解除する」という文書を顧客に発送し、希望する顧客の解約に全面的に応じるものである。送付文書に「保険料がご負担になっていませんか」「原則希望に沿った対応をさせていただきます」などという文言を付し、顧客にたいして今なら「合意解除」ができると示唆しているのだ。

経営陣は、契約内容の確認文書を送付しても回答がない契約者に連絡を促すものといいつつ、じっさいには顧客が希望した契約は即座に無効契約の措置を取り調査終了扱いにしている。本来、無効契約として全額返金できるものは、募集人＝労働者と顧客双方の事情聴取をおこない募集人に重大な落ち度が確認されたばあいのみと保険約款に定められている。かんぽ保険にたいする信用が地に墜ちているなかで、無条件で全額現金が返金されるというこの「特例」措置のゆえ、多くの顧客が「合意解除」に応じている。とりわけ、コロナウイルスの感染拡大下で資本家どもによって賃下げ・雇い止め・首切り攻撃にさらされ、多くの労働者が減収に見舞われているなかではなおさらではないか。

経営陣は、営業停止のなかで新契約をとれず、保険料収入の減収に危機感をいだいている。長期的には損益の悪化につながるがゆえに、早期の営業再開にむけてこれまでの保険契約についての調査を早急に終わらせたいのだ。そのために彼らは、調査手続きの手間と時間を大幅に短縮することをもくろんでいる。

顧客から不服の申出があった契約については、金融渉外・窓口労働者にも必ず事情聴取しなければならない。そのばあい経営陣にとって問題になるのが、一人の顧客が何口もの契約を結んでいる多数契約者だ。多数契約している顧客は、複数の労働者に勧誘されているばあいが多く、調査担当者は契約に携わった労働者一人ひとりから事情を聞き、契約の是非を判定しなければならない。これでは膨大な時間がかかり、かんぽ保険の営業再開がさらにのびてしまう。そこで経営陣は、以下のように考えたのだ。

「顧客の不利益解消」のためと前面におしだし、顧客の希望に応じた保険契約の「合意解除」というかたちにすればいっさい調査の必要はなく、大幅に時間と手間を省くことができる、と。

ところが、強欲な郵政経営陣は、保険契約調査をできるかぎり早く終わらせたいがために顧客を「合意解除」に誘導しておきながら、解約にともなう募集手当の扱いにかんしては〝解約されたのだから当たり前〟とばかりに、労働者に返納＝没収を強要しようというのだ。

「原則希望に沿った対応をさせていただきます」などという経営陣の〝提案〟によって「合意解除」が多数うみだされ、不服申し立てを受けた保険契約ばかりか、正規に募集した契約をも含めて、募集手当の返納が労働者に強制されている。しかも経営陣は、契約後三年経過すれば手当返納はないという給与・手当制度さえも無きものにしている。そればかりでない。彼らは、募集手当返納について労働者には事前の説明を一切おこなわず、冒頭で述べたように、突然給与から天引きしたり、振込用紙を送りつけるというかたちで一方的に強行しているのだ。あまりにも労働者を愚弄しきっているではないか。彼らは、契約調査を早期に切り上げるために、過去の募集手当までふんだくっているのだ。

そもそも、成長戦略を描き、収益拡大をめざす経営陣が、高齢者や複数契約者をターゲットにした営業方針を労働者に強制し、過酷なノルマを課してきたのではないか。ノルマを達成できない労働者にはパワハラ・恫喝研修を毎週おこない心身ともに追いつめてきた。経営陣は渉外労働者の基本給の一二％を削減し営業手当に充当させ、新契約を取らなければ生活ができないほどの低賃金を強い、〝生活のための営業〟に労働者を駆りたててきた。多くの労働者が自殺に追いこまれたり、精神疾患で退職を余儀なくされてきたのだ！

郵政経営陣は、過酷なノルマ強制については「社内コンプライアンスの不徹底」があったなどと問題をアイマイにし居直り、「法令違反を犯した労働者」に責任を転嫁し乗り切りをはかっているのだ。

かんぽ生命は、九ヵ月あまり営業自粛が続いていたにもかかわらず、二〇年度三月期決算で二三三九億円もの経常利益を上げ、一六四五億円もの株主還元金を支出している。極限まで労働者を搾取した剰余金を役員報酬や株主報酬にふりまいている。

経営陣は、みずからが金融・窓口労働者に強いてきた諸施策や諸言動を隠蔽し、営業再開のために、さらに労働者に犠牲を転嫁してのりきるのか！　ふざけるな！

組合員の怒りの声を封じこめるＪＰ労組本部弾劾！

組合員は、経営陣による顧客への「合意解除」を誘導する文書発送や一方的な手当返納に不安や怒りの声をあげている。だがＪＰ労組本部労働貴族は、かんぽ生命の「文書は意図的に解約を誘導したものではない」という経営陣の居直りをすんなり受け入れた。彼らは、理不尽極まりない「合意解除」による募集手当返納に正面から反対することもせず、八月いこう当面の「手当返納停止」や高額返納労働者への分割返納を認めさせたことをもって容認しているのだ。組合員の反撥の声におされ、「顧客保護のみならず、募集人の保護にもさらなるご配慮を」と実に弱々しく経営陣にお願いしているにすぎないのだ。このような本部労働貴族の対応を絶対に許すことはできない！

われわれたたかう労働者は、労働者への一方的犠牲転嫁で営業の早期再開をはかる経営陣と、これを支え組合員の不満・反撥を封じこめる本部を弾劾しよう！　職場からかんぽ営業問題の労働者への犠牲転嫁を許さない闘いをつくりだそう！

労働強化への怒りに燃える教育現場

城　向　進

二〇二〇年六月十五日、全国で学校再開・平常授業がスタートした。これに先立つ六月一日から十二日までの二週間、A市では文部科学省の指導のもと、「午前グループ」と「午後グループ」でそれぞれ三時限授業を開始した。学級四十名の「密」をさけて二十名程度に二分割して「分散登校」学習をするのだ。すでに五月末には一グループ十五名を超えない三分割の「見守り登校」も実施して学校再開の準備をしてきた。

さらにこれも文科省・地教委の指示のもとで五月連休明けから教職員は勤務に就き各種会議、各学年、各学級各分掌で準備を進めてきた。「緊急事態宣言」中の教員が新型コロナウイルスに感染することなどおかまいなしといわんばかりの環境のなかで、教員は連日出勤していたのだ。

これが「分散登校」だ

分散登校による教員の労働は過酷そのものであった。午前・午後三時限ずつの授業と二回の給食指導――息つく暇もない長時間・過密労働が教育労働者に課せられた。後に「思い出したくもない」との声があがるほどの日々が続いたのである。

その一端を紹介する。

①朝八時から、換気などの教室準備をして、教室や廊下で一人ひとりの登校指導、とりわけ健康観察・チェックを始めないといけない。午前グループの子どもは三時限の授業と給食で下校する。下校までに全員の家庭連絡帳と家庭学習ノート点検は欠かせない。気にかかる子どもの様子に目を配りながらも話す時間がもてない。そのことに気持ちが焦る。それでも、給食やプリント・ノートなどの配付をコロナ以前のように子どもの係活動にはせず、担任が一人ひとりに手渡すなど、感染対策のための徹底配慮が強要されている。だから緊張は続き、休憩どころではない。午前グループを三時限授業と給食でやっと下校させた！　……瞬時の放心状態に。

②否！　そんな余裕はない！　もう次の午後グループが登校してくるのだ。教室・廊下で一人ひとりの登校指導・健康観察・チェック開始。給食から始めて三時限授業の繰り返し。この午後三時限授業は午前の単純な繰り返しではない。午前中の子どもと違うのだから同じ授業展開で進むはずがないのだ。家庭連絡帳と家庭学習ノートの点検もこなして、やっと下校指導。三時四十五分、下校完了。余裕のないときほど子どもたちは相談事を抱えこむもので、ここでも話をする時間がもてないことに申しわけない気持ちがつのる。身体だけではなく、気持ちもヘトヘト……。二年目の若者教員が「苦行の二週間です」と言った。

③さて、午後の下校の後に、教職員総出で三十分間「除菌徹底」校内清掃。教室の机・椅子・ドア・棚・廊下・階段の手すり・トイレなど分担して進める。ここでも人手だけでなく、物資も不足しているので「水拭き→塩素系洗剤→乾拭き」まで必要。「アルコールが届いたときには嬉しくて涙が出たのが、思い出すと笑える」と年配の仲間が言った。

④それから、職員会議。四時三十分からと設定されているが、四十分開始がやっとだ。しかし、会議は五時に終わる（納得のいく議論どころではない！）。さてそれから学年の打合せを丁寧にやっておかないと分散登校という平常とは違う授業なので、たちまちトラブルが起こる。そのあと、各学級の担任の仕事をすませると、もう午後九時だ。担任とし

て奮闘している仲間が職員室で声をあげた。

「冗談じゃない！　これって二週間で四十時間の超勤！『朝の早出』をいれて五時間超勤、合計四十五時間だ。新年度から月四十五時間の上限を法整備する、といったのは文科省だろが！」

ここに挙げた例はほんの一部にすぎない。こうしたきわめて密度の濃いオーバーワークが二週間も続いたのである。

だがしかし、問題は二週間で終わったわけではない。政府・文科省は休校中の学習の遅れを取り戻せと叫びたてている。彼らは、「学びの保障」と「感染対策」を両立させよ、と無理難題を押しつけてきているのだ。「働き方改革」など言ったことがなかったかのように長時間労働・労働強化を教育労働者に強要している。夏休みの短縮、土曜授業、七時間授業の導入などなど……。「閑散期（夏休み期間）の休日まとめ取り」（一年単位の変形労働時間制）など、とっくに破産しているではないか。いや夏休みまでに倒れそうだ。

職場に渦巻く怒りを組織し即刻闘いを！

こうした子ども・教職員をとりまく現実は、政府・文科省が朝令暮改をくりかえしながらも新学習指導要領にのっとった教育――安倍式「愛国心」教育と能力主義教育の徹底――とオンライン授業が必要になるからとしてＩＣＴ（情報通信技術）機器を導入することを現場に強要することによってひきおこされているのだ。２・27一斉休校という「首相（と側近）の独断」以降、教育現場を覆う重苦しさ、教職員が論議しても、文科省から教育委員会へ指示が下りて、変更を強要される事態の連続に怒りを通りこしてむなしささえ抱えこんでいるのが教育現場だ。

このままですますわけにはいかない。職場の同僚たちは先のように叫び、怒りをあらわにしている。いまこそたたかう教育労働者としての真価を発揮すべきときなのだ。日教組本部の闘争放棄を許さず、職場・分会から声をあげ、組合を主体とした闘いを断固としておしすすめよう。

化学独占資本家による労働者への犠牲転嫁

山川　翠

＜パンデミック恐慌＞のもとで、多くの労働者は、職を失い、貧困と感染の恐怖に突きおとされている。政府統計でも、完全失業者数は五月段階で一九八万人に達しているのだ。

中小零細企業への政府の「コロナ支援」策も、「無利息・無担保」「貸し渋りはない」「五年の返済猶予」などという謳い文句とはうらはらに、なんの助けにもならないしろものである。大手企業からの受注の激減によって、中小零細企業はどこも売上の大幅な減少に追いこまれており、この危機をのりきるために融資をうけようとしても、すでに抱えている借金を理由に断られているのだ。しかも、たとえ融資をしてもいいといわれても、五年後の返済を考えれば借りられない、というのが現実なのである。こうして中小零細企業では「息切れ倒産」が増えて労働者たちが次々と街頭に放り出されており、こうした諸企業で働く労働者たちは失業の不安をいよいよつのらせているのだ。

首相・安倍晋三は、感染再拡大が全国ですすむ今、重症者が少なく医療体制も余裕があり四月の状況とは違うなどとほざきつつ、リーマン・ショック時を上回る減収減益に陥った独占体諸企業を救済することだけに狂奔している。二〇二〇年七月二十二日には、大手観光会社やJRなどを救済するために、「Ｇｏ Ｔｏ トラベル」を前倒しで実施に踏みきった。

独占資本家どもは、長引く日本社会全体の「生産停止」状態に危機意識をこうじさせ、「過度に経済活動が萎縮しないように」などと安倍をつきあげ、「経済活動の再開」に躍起となっている。彼ら独占資本家どもは今日、「感染対策と経済活動との両立」といいながら、どんなに労働者の感染が拡がっても生産をとめさせない〝意志〟を示している。彼らは〈パンデミック恐慌〉による大減益を取り戻すために、首切り・賃金切り下げで「コスト削減」をはかるとともに、労働者の健康と命など関係ないといわんばかりにおざなりの「感染対策」で労働者たちをこき使うことに突進している。そして、〝経済最優先〟を叫び、安倍政権に補正予算で総額一四〇兆円もの「経済対策」をとることを求めたのだ。横暴をきわめる独占資本家と、彼らを優遇し労働者・人民を切り捨てる安倍政権をけっして許すわけにはいかない。

「工場の操業継続」を叫ぶ独占資本家

日本化学工業協会会長・淡輪敏(三井化学会長)は、五月十五日に、会長任期の最後の記者会見で、新型コロナウイルスの感染拡大にかんして質問され、「化学産業として現時点でもっとも重要な課題は、工場の安全な操業を継続することだ」と叫びたてた。この春に、マスクや医療器具が払底したことをうけて、「化学製品の安全・安定供給を継続していく」と、その〝決意〟を示したのだ。

七月十六日の経団連・夏季フォーラムで「今回と同様の休業要請がでたら、日本経済は致命的な損害を被る」と危機感をあらわにし、「経済活動との両立」が重要だとぶちあげた日本経団連会長・中西宏明も、新型コロナ感染問題が長期化することを見越して、日化協会長・淡輪と同様に「医療用マスクなどの備蓄や国内生産の検討」が必要だと強調した。

〝アベノマスク〟の配布で労働者・人民の不安と政権への怒りをかわせるなどと高をくくっていた安倍

政権とともに、いまや官民そろって「マスクの備蓄と国内生産」の大合唱である。

なにをいまさらだ！　マスクや医療用エプロン・ガウン、その原料である不織布やポリプロピレンなど汎用化学品の国内での生産から撤退し、労働者の大量首切りリストラを強行してきたのは化学独占資本家ではなかったか。韓国や中国の企業との価格競争に敗北し、国内から中国や東アジア諸国に生産拠点を移したのではなかったか。そう古い話ではない。今日そうした過去がなかったかのように、「国内での生産も検討する必要がある」などと平然といっているのだ。このパンデミック下でも工場の操業を止めない、おざなりの感染対策で労働者をこき使って生産を続ける積極的な理由にしてさえいる。〝こうした医療関係の生産は、社会的に意味のあるものをつくるのだから工場の生産を継続させろ！　感染者が増加しても前回のように企業への休業要請は絶対にするな！　生産を止めさせるな！〟と、いいたいのだ。これはまったく都合のよいこじつけに「マスク不足」が利用されたに等しい。

じっさい、マスクなどの「国内生産」とは名ばかりであって、化学独占資本家どもは、こうした利益にならない汎用品については、今後も海外生産品を国内市場に流通させるという方針はまったく変えるつもりはないのだ。せいぜい「サプライチェーンの確保」という観点から、中国だけに頼るのではなく、他の東アジア諸国に生産工場を分散させようとしているにすぎない。労働者を感染危機にさらしてこき使い国内工場の生産継続をはかるために、あたかもマスクを今後国内でつくるかのように叫んでいるのが化学独占資本家なのだ。まったく許せないではないか。

〝マスク危機〟を招きよせた元凶は大リストラだ！

今でこそ夏仕様やいろいろな種類のマスクが店頭に並んでいるが、この三～四月にはまったくマスクが店頭から消えた。とりわけ医療・介護労働者が必要とするマスクや防護具の逼迫は深刻だった。

なぜマスクが消えたのか？　その元凶は、このかんリストラを強行しつづけてきた化学独占資本家にほかならないのだ。

一九九〇年代バブル崩壊以降、日本の化学独占資本家は、マスクなど製品単価が安く製造コストがかかるとみなした汎用品の国内生産から撤退したのだ。「薄利多売」品にたいする、「高付加価値」の技術性の高い、国際競争力のあるものだけを、「選択と集中」と称して国内生産に残してきた。この結果、多くの労働者が首を切られ、中小零細企業の倒産や廃業によって、そこに働く労働者もまたリストラの犠牲にされたことをわれわれはけっして忘れてはいない。

住友化学・旭化成・三井化学などの化学独占資本家は、多くの化学製品の原材料となるエチレン、その製造拠点である老朽化したエチレンプラントの統廃合を長期にわたってくりかえし、国内需要を満たす程度にエチレンプラントを国内に残すことを追求してきた。原料のナフサの熱分解の結果得られるエチレンやプロピレンなどをそれぞれ重合し、ポリエチレンは容器・包装材などの原材料に、ポリプロピレンは汎用樹脂の中ではもっとも軽く、強度、耐熱性があることから、熱可塑性の樹脂として多様なプラスチック成型の材料として使われている。多くは自動車関係のバンパーやケース類、建築資材や容器、繊維、そしてマスクなどに使われ、用途は広く、日常生活に密着したものになっている。

こうした原材料は化学反応を基本にして石油化学コンビナート内のプラント施設で製造しているが、人員を極限的に削減し、ベテラン労働者を経験のない非正規雇用労働者に置きかえてきた結果、近隣住民をまきこんだ化学工場の爆発事故や、労働者が清掃中にプラントに落下するといった許しがたい事故が多発しているのだ。〝マスクを国内生産にするから、工場の操業をとめないでほしい〟とは、よくいったものだ。コロナ禍のただなかで、安全性を無視した、死と隣り合わせの労働を強いられ、アジア諸国の労働者と〝競争〟させられて低賃金におさえこまれているのが、化学労働者の現状なのだ。

化学労働者がこのような塗炭の苦しみをなめさせられているのは、UAゼンセンやJEC連合の労働貴族が「雇用維持」のためには「企業維持・存続」「健全な産業の発展」が大前提であると言い放ち、化学独占資本家どもの諸攻撃を唯々諾々と受け入れているからなのである。

化学労働戦線の戦闘的・革命的労働者は、UAゼンセン・JEC連合の労働貴族の裏切りを許さず、化学独占資本家のこうした労働者階級への一切の犠牲の転嫁を許さない闘いを断固としておしすすめていこう!

同時にわが化学労働者は、安倍政権による新型コロナ対策にたいして、怒りで歯ぎしりする思いで日々労働し、組織化のために奮闘している。反人民性をあらわにした首相・安倍は、みずからの任期中に憲法第九条の改悪をなしとげることを狙って、国民投票法改定案の国会採決をねじこもうとしている。われわれは安倍政権の打倒をめざして、さらに闘いをつくりだそう!

〔本誌掲載の関連論文〕

・JEC連合労働貴族の春闘破壊を許すな
　益田　伸行　(第三〇七号)
・政府の医療費削減下で激変する製薬業界
　五月　麗子　(第二九九号)

福島第一原発——
トリチウム汚染水の海洋放出を阻止せよ

安倍政権・東京電力経営陣は、福島第一原子力発電所の敷地内に保管しているトリチウム汚染水を大量の海水で薄めて海にたれ流す「処分」方針を、この二〇二〇年夏にも決定しようとしている。日本列島の太平洋沿岸の漁業や農業に大打撃を与え、白血病やガンの激増をもたらすことが必至のこの大犯罪行為を絶対に阻止せよ。〔わが革命的左翼を先頭とする労働者・人民の圧倒的な反対の声に直面して、政府・東電経営陣は八月末現在、海洋放出を決定できないでいる。〕

経済産業省はトリチウム汚染水処分にかんする「関係者の御意見を伺う会」なるものを、この二〇年四月から七月十七日まで、福島県や東京都において計五回開催した。新型コロナウイルス感染の拡大で政府が「緊急事態宣言」を発令している最中にも、オンライン方式をも駆使して強行してきたのだ。

政府・東電経営陣は、二二年夏にトリチウム汚染水の海洋放出を実施する肚を固め、その関係施設の建設のために二年間かかるというスケジュールを立案して、この夏中に海洋放出を正式に決定しようとしているのだ。「御意見を伺う会」なるものは、地元漁業関係者をはじめとした圧倒的な反対の声をふみにじってこの決定をくだすために、〝意見を聞いた〟というアリバイをつくるために開催されたものにほかならない。

二月十日に経産省の「ALPS（多核種除去設備）処理小委員会」が、海洋放出ないし大気中放出が現実的とする報告書を――「長期保管」などの選択肢を除外して――とりまとめた。これを受けて東電経営陣は三月二十四日に、トリチウム濃度を一リットル当たり一五〇〇ベクレル以下に海水で薄めて海へ放出する「検討案」なるものを公表した。この一五〇〇ベクレルは国の排出基準（＝六万ベクレル）の四十分の一であり、現在、原子炉建屋の山側に配置されているサブドレンからくみあげて海に放出している地下水の基準と同じであるなどと喧伝し、地元住民を丸めこもうとしているのが東電経営陣である。だが、こうした言いぐさはまったく欺瞞的だ。

この地下水の海洋放出をめぐっては、「原子炉建屋に流入する地下水量を減らすためにサブドレンからのくみあげと放出が不可欠だ」とする東電の主張を、トリチウム汚染水の海洋放出に強く反対してきた地元漁協が〝苦渋の選択〟として受け入れ・容認してきた。東電経営陣は、この既成事実をタテにとって海洋放出案をうちだしたのだ。

地元漁協は、原子炉建屋に流入する地下水を減らすためにこそ、この東電の要求を受け入れてきた。にもかかわらず東電経営陣は今日、流入地下水を減らす抜本的対策（かねてより地下ダム方式などが提案されてきた）をなんらうちだしていない。サブドレンに加えて原子炉建屋をとり囲む凍土壁を構築してきたにもかかわらず、現在もなお一日平均一八〇トンもの地下水が建屋に流入しているこの現状を打開しようとはしていないのだ。このことをタナに上げて、地元漁協をはじめとした労働者・人民にたいして、〝現在一二〇万トンの汚染水をタンクにためているが、一三七万トンで敷地が限界だ、廃炉作業のスペースがなくなる〟などと、盗っ人猛々しく脅しをかけているのである。

東電の発表によれば、現在タンクに保管されているトリチウムの総量は八六〇兆ベクレル、建屋内の残留水に一二〇九兆ベクレルが存在している。これらすべてを十年から三十年程度かけて海にたれ流そうというのが政府・東電の計画なのである。(かつて福島第一原発が運転されていた時期には、年二二兆ベクレルが放出基準とされていた。)たれ流す前に海水で薄めたとしても総量に何の変わりもない。

トリチウム放出量が多い加圧水型炉の玄海原発から三〇キロメートルに位置する壱岐市では、原発稼働後の白血病死亡率が稼働以前の六~七倍に上昇したという報告もなされている(『壱岐日報』一九年三月一日付)。「トリチウムの出す放射線は透過力が弱く、また体内にとりこんでも十日前後で排出されるので危険性は低い」などという御用学者の弁は、水素と化学的性質がまったく同一のトリチウムがDNAに損傷を与える内部被曝の危険性を意図的に無視した詭弁以外の何ものでもない。(『解放』第二六〇五号の笠舞徹論文や本誌第二九八号の「トリチウム汚染水の海洋放出を許すな」論文を参照)

それだけではない。現在タンクに保管されている処理水の七割以上に、トリチウム以外の放射性物質が排出法令基準濃度を超えて含まれている。なかには、基準値の二万倍もの汚染物質が含まれているタンクもある。ALPSで除去したはずの六十二核種の放射性物質が大量に処理済み水中に残っているという事実を、東電経営陣は昨一九年夏に反対派に指摘されるまで隠蔽していた。彼らは今日、「放出が決まったら再浄化する」などと言いのがれているが、実験すらおこなっていない。あわよくば、再浄化などしないで海にたれ流そうというハラが見え見えなのだ。(註)

再稼働原発・核燃施設でもトリチウムたれ流し

政府・東電経営陣がトリチウム汚染水の海洋放出を強行しようとしているのは、それがもっとも安あがりで手っ取り早いからだ。彼らは原発再稼働のためには何千億円、何兆円もかけながら、利益の上がらない「安全対策」のための費用にはビタ一文かけたくないのだ。

それだけではない。もしも福島第一原発におけるトリチウム排出規制が続けられるならば、再稼働した原発や核燃料サイクル施設がトリチウムをたれ流していることにたいしても、労働者・人民の怒りの声が高まりかねない、と恐怖しているのだ。とりわけ、この五月に原子力規制委員会が「適合」判断をくだした六ヶ所村再処理工場は、〇六年から〇八年の試験運転においてすら、総計九八〇兆ベクレルのトリチウムを海や大気中に放出している。このケタ違いにトリチウム放出量の多い再処理工場の計画がストップさせられることを恐れているのである。

意見聴取会合においては経団連や安倍政権・自民党の息のかかった日本旅行業協会いがいの圧倒的多数の諸団体――農林・水産業団体や消費者団体など――が反対意見を表明している。

こうしたなかで日共指導部は、「海洋放出反対」を明確に主張することもできずに、地方自治体などの「風評被害を招くから反対」などの意見を紹介してこれを尻押ししているにすぎない。「新たな被害を生まないためには世界的・国民的な理解と合意が不可欠」(『しんぶん赤旗』二〇年七月八日付)であり、「拙速に決めるのは反対」としているにすぎないのだ。

これは根本的には、彼らが「原子力の平和利用推進」の理念にのっとって「安全対策」を強化したうえでの原発の推進をうたっていた過去をなんら反省していないことにもとづく。福島第一原発事故いごに国民の多数が原発反対になったことに直面して、集票主義の観点から原発反対の姿勢に転じたにすぎないことからして必然的にうみだされている事態なのだ。とりわけ福島においては、「一〇〇ミリシーベルト以下は安全」「内部被曝は問題ではない」などと主張する日共御用学者が幅を利かせているがゆえに、「海洋放出反対」を掲げることすらできないのだ。

わが革命的左翼は、こうした日共系反対運動をのりこえ、トリチウム汚染水の海洋放出に反対する闘いを推進するのでなければならない。すべての原発・核燃料サイクル施設を即時停止し廃棄せよ。

註　溶融した炉心の冷却に使われた水には、約一〇〇

○種の放射性核種が含まれているとされる（資源エネルギー庁がアリバイ的に公表）。ところが政府・東電経営陣は、ALPSで六十二の放射性核種を取り除いたあとには、あたかも放射性物質はトリチウム以外に存在しないかのようにおしだしている。インチキ極まりないではないか。二〇一八年には、六十二核種に入っていない放射性炭素が、処理済み汚染水に大量に含まれていることが発覚した。こうした六十二核種以外の放射性物質をいかに処理するのかについて、彼らは明らかにしていない。

六ヶ所村再処理工場

原子力規制委の「新規制基準」適合決定弾劾

「核燃料サイクル」開発に固執する安倍政権

原子力規制委員会は、日本原燃が運営する青森県六ヶ所村の使用済み核燃料再処理工場について、「安全対策」が「新規制基準」に適合しているとする「審査書」を二〇二〇年七月二十九日に正式に決定した。

この決定にむけて規制委は、原発再稼働の審査ではこれまでおこなわれたことのない経済産業相への「意見照会」を実施した。これは極めて異例だ。再処理工場が大量のプルトニウムを生みだすことや、関連諸施設で重大事故がくりかえし引き起こされてきたことにたいして、憤激する労働者・人民の反対運動が展開されている。これをおしつぶすために規制委は、あえて政府・経産省からお墨付きを得るかたちをとったのだ。

「意見照会」に応じた経産相・梶山弘志は、再処理工場は政府として必要であり、工場の本格的稼働は「国の『エネルギー基本計画』に整合する」と回答した(六月九日)。まさに再処理工場を中軸にする「核燃料サイクル」開発にしがみつく安倍政権の意志を示したのだ。

「エネルギー基本計画」における原子力政策には、頓挫した「核燃料サイクル」開発計画の弥縫策が盛りこまれている(一八年七月)。もともと「核燃料サイクル」は、高速増殖炉を稼働させることにより、燃焼したプルトニウム以上のプルトニウムを生みだし(増殖)、それを再処理して利用するシステムとして計画された。だが、高速増殖原型炉「もんじゅ」は、ナトリウム漏出・火災事故(一九九五年)などの重大事故を引き起こし、わが革命的左翼をはじめとする労働者・人民の反対運動によって廃炉に追いこまれた(一六年)。

政府は、従来「核燃料サイクル」の中心に位置づけてきた高速増殖炉の開発が破綻したがゆえに、プルトニウムをウランと混ぜた混合酸化物(MOX)燃料を通常原発で使うプルサーマル運転を電力諸資本にうながしているのだ。これは、「核燃料サイクル」開発の頓挫をおし隠す弥縫策いがいのなにものでもない。

MOX燃料を通常原発で使うのは重大事故発生の危険性を高めるものであり、ウラン燃料を使うよりも五〜六倍も費用がかかる。それをあえて使おうとするのは、「核燃料サイクル」開発を続行し、使用済み核燃料の「再処理」技術を維持するためにほかならない。そしてこの「再処理」技術こそは、核兵器製造に不可欠の技術でもあるのだ。

潜在的核保有能力強化の企み

日本は、プルトニウムの「平和利用」を前提に、日米原子力協定で「再処理」を核兵器保有国以外では唯一認められている。一八年時点でプルトニウムを四六トン(原爆六〇〇〇発分)も国内外で保有するにいたった日本にたいして、日米原子力協定の延長（一八年）の際にアメリカ政府からプルトニウム保有量の削減がつきつけられ、安倍政権はそれを呑んだのだ。

安倍政権は、日本国家が保有するプルトニウムを、あくまでも発電のために使用し・そうすることによってプルトニウム保有量を削減すると、プルサーマル運転の〝意義〟をおしだしている。しかし、プルサーマル運転をすればプルトニウムの保有量を減らしうるというのは、まったくデタラメなのだ。政府は「エネルギー基本計画」にもとづき、当初十六〜十八基の原発でMOX燃料の使用を予定していたが、現在、使用可能な原発は四基だけである（伊方原発3号炉、高浜原発3・4号炉、玄海原発3号炉）。保有しているプルトニウムを減らす見通しなどまったくたっていないのだ。

安倍政権が再処理工場の建設・稼働に固執するのは、核兵器製造の潜在的能力を維持・強化することを国家戦略としているからにほかならない。

しかも、「再処理」の技術開発を中止するならば、原発の稼働は不可能になる。中間貯蔵施設の建設も進んでいない現状では、使用済み核燃料は各原発敷地内で保管しつづける以外にない。それゆえに、各原発の核燃料プールはまもなく満杯となり、原子炉の燃料棒の交換もできなくなる〔地震国・日本では、使用済み核燃料の地中埋設は、技術的にも、立地確保からも、実現は不可能〕。

だからこそ、安倍政権と日本原電を含む電力諸資本は、使用済み核燃料の再処理をおこなう六ヶ所村再処理工場の建設・本格的稼働にむけて遮二無二突進しようとしているのだ。だがそれは、福島第一原発以上の大事故を引き起こしかねない危険への突進にほかならない。しかも、この再処理工場の総事業費は試算で一四兆円にものぼる。各電力会社の拠出金で賄うというが、そのために電気料金の値上げが策され、労働者・人民からの収奪が強化されるのは明白である。

原子力規制委員会による使用済み核燃料再処理工場の「適合判断」を弾劾せよ！　六ヶ所村再処理工場の運転開始を阻止しよう！　すべての原発・核燃料サイクル施設を廃棄せよ！

対象認識と価値意識または価値判断

太宰郷子

ある学習会で、「対象認識は価値判断との統一である」という命題について、「価値判断」という表記と「価値意識」という表記を黒田さんは区別して使用している、ということが話題になった。この問題について、かつて私じしんが追求し学習論文にまとめたことがあり、当時の論文にあたりながら論議をすすめた。すると、新たに発見したこと、さらに私の誤りを見つけるなど、理解を深めたこと、二十七年をへて気づかされる驚きの収穫が多々あった。

学習会で掘りおこされた新たな課題

私がかつて追求した問題とは以下のようなものである。黒田さんの著作では、「対象認識と価値判断との統一」という表記が、あるときから「対象認識と価値意識との統一」（傍点は引用者）とされている。いつごろからか、またなぜそのように表記されるようになったのか。この問題意識を出発点にして、黒田さんの諸文献をたどり、諸同志との討論をつうじて考えたことをまとめたものが、拙稿「対象認識と価値判断」(『共産主義者』第一四五号、太宰論文)である。

すなわち、「唯物史観と経済学」(影山光夫『唯物史観と変革の論理』こぶし書房刊、一九七一年)を区切りとして、それ以前の文献では「対象認識と価値判断」、それ以降の文献では「対象認識と価値意識」へと表記が「かえられている」と、拙論において整理した。だが当時の私は、「価値意識」と「価値判断」との内容上の違いについて、理論的・論理的に論じることはできなかった。今後さらに追求したいとして原稿を終えていた。この〝締め〟の部分がまったく不十分であったので、黒田さんが論文の結論部分を補足・加筆してくださったのである(同上、一二六頁下段〜一二七頁。本号の一〇八〜一〇九頁を参照)。

『ヘーゲルとマルクス』での論述に敷衍し、また覺圓さんの口ぶりで「五蘊《ごうん》」――色・受・想・行・識――のカテゴリーを駆使して、内容豊かにきわめて明快に整序するかたちで加筆してくださったのだ。

この論文をこんかい学習会で読みなおし論議をした。以下がその論文の最後、黒田さんの加筆箇所を読んでの討論である〔この学習会のメンバーはかつての学習会とはまったく異なっている〕。

Aさん　黒田さんが「対象認識と価値判断との統一」から「対象認識と価値意識との統一」に変更したのだと、僕は思っていた。しかし加筆部分を読むと、われわれの認識＝思惟活動は「過程的にも結果的にも規定することができる」と書かれている。過程的には「対象的認識と価値意識との統一作用」として、結果的には「対象的認識と価値判断との統一」としてとらえられる、と。

Bさん　つまり、われわれの認識＝思惟活動について、どのように論じるか、論じ方の角度によって規定のしかたがかわるということだね。

Cさん　黒田さんが叙述をかえたのは「対象認識と価値意識との統一」が正しいからだと僕は思っていました。結果解釈的なおぼえかたでしたね。両者の論じ方の違いについては曖昧だったなぁ。

D（私） 黒田さんの叙述が「価値判断」から「価値意識」にかえられている、その疑問を出発点に諸文献をたどったのですが、「価値判断」と「価値意識」の違いを私ははっきりさせられなかった。この私の疑問に〝論じ方・アプローチの違いを考えなさい〟と、加筆し明示してくださったのだと思います。

Bさん ところで『宇野経済学方法論批判・改版』については、なぜ太宰論文でとりあげなかったの？

D（私） えっ、それは、九三年に原稿を書いたあとに『改版』がでたから……。

Bさん 『改版』では『旧版』の「対象認識と価値判断」が「対象認識と価値意識」に書きかえられているよ。

D（私） ええっ？　加筆部分の示唆をいただいたままで、それいこう調べも学習も怠っていました。

Eさん 英語版の訳はどうなっているんだろう？『改版』の日本語版と英語版では語彙も文章もずいぶん変更されていますよね。

D（私） えっー、そうなんですか！

私は、二十七年前の学習について新たな課題を掘りおこされる気がした。驚きつつ、あらためてじっくりと調べなおしてみた。

増補新版『宇野経済学方法論批判』奥付の「初版第一刷発行」の日付は「一九九三年三月三十一日」、この増補新版に収められている「改版あとがき」は「一九九二年十二月三十一日」の日付になっている。この書物の原稿は九二年以内には書きあげられていたであろう。

私が「対象認識と価値判断」論文を書いたのは、九三年一～三月であった。してみると、黒田さんが『宇野経済学方法論批判』を書きあらためた『改版』を発行するちょうどそのころに、その内容にからむ「対象認識と価値判断」についての私の原稿を知り、〝ひとくさり解説をやっておいてやろう〟と思われたのかもしれない。私がしたためた原稿の曖昧なところを大幅に補足するとともに、黒田さんが『改版』で手直しした箇所について考える手がかりを提起してくださったのにちがいない。このことに、私ははじめて思いいたった。

九三年四月ごろ、『改版』の本を手にしたときに、私は「対象認識と価値判断」の表記について意識的に見返すことをしなかった。ゆえに、「価値判断」という表記が「価値意識」「価値意識または価値判断」に改定されていることに気づくこともなかった。おのれの不明と怠慢をつきつけられた思いだ。四半世紀ぶりに気づかせてもらったことを糧にさらに深めなければいけないと強く思った。

増補新版『宇野経済学方法論批判』を読み直して

こんかい私は、『宇野経済学方法論批判』（黒田寛一、現代思潮社刊、『UM』と略す）から増補新版『宇野経済学方法論批判』（黒田寛一、こぶし書房刊、『改版UM』と略す）において、「対象認識と価値判断」という表記が「対象認識と価値意識」というように書きあらためられている箇所をさがすために、二冊の本をつきあわせしながら読みとおしてみた。変更箇所は計九ヵ所あった（一一一頁の表を参照）。

その九ヵ所のうち八ヵ所が、「対象認識と価値判断」という表記が「対象認識と価値意識または価値判断」というように、「価値判断」のまえに「価値意識」を追加挿入するかたちで直されている（①～⑦、⑨）。一ヵ所のみ、「対象的認識とプロレタリア的価値判断との統一」という表記が「対象的認識とプロレタリア的価値意識との統一」と書きあらためられている（⑧）。⑨は註の（四二）なので、⑧が本文での最後の記述になる。ちなみに①～⑧および⑨（註）の記述はすべて『宇野経済学方法論批判』所収の「宇野経済学批判序説」の第Ⅰ、Ⅱ章にでてくる。第Ⅲ章「宇野三段階論をめぐる問題」にはでてこない。

さて、『UM』の①～⑦の「対象認識と価値判断」という表記が、『改版UM』において「対象認識と価値意識または価値判断」というように「価値判断」のまえに「価値意識」を挿入するかたちで書きあらためられているのは、なぜなのだろうか。こここでは⑦についてみてみよう。

⑦　経済学研究の前提としての「否定的立場」とは、かくして具体的にはプロレタリアの実践的立場にほかならず、プロレタリアの実践的直観をバネとした対象認識の論理的深化によってはじめて、資本制生産の学問的な体系的把握が可能となるのである。このような、客体的限定を基礎とした認識主体の対象変革的な実践的立場（プロレタリアの立場）においてはじめて、認識対象の法則性の概念的把握が可能になるとい

「対象認識と価値判断」への黒田さんの加筆部分

（『共産主義者』第一四五号）

では、プロレタリア的存在の認識＝思惟活動および自覚ではなく、社会的存在としての人間的自然のそれは、黒田寛一著『ヘーゲルとマルクス』（一九五二年）において展開されていた。それについてみてみよう。

物質的世界においてある人間的自然が彼に否定的に迫ってくる彼の客体としての対象的自然を自己否定的に内在化したところのものの直接性、すなわち感性的直観内容の即自態は、対象的にして非対象的な・非対象的にして対象的な「歴史的自然」とされた。これは、人間意識そのものの物質性についての唯物論的規定であろう。この「歴史的自然」が、客体面（主語面）と主体面（述語面）に原始分割する（判断）とともに、これが外的＝内的反省をつうじて止揚される。これによって、実践的決意が成立する、とされていた。

ところで、主語面と述語面とに分割される以前の「歴史的自然」を、具体的に賃労働者のそれとしてとらえるならば、それはプロレタリア

の即自的価値意識であるといえる。社会的存在としての人間の社会意識、つまり価値意識が、外的反省と内的反省をつうじて動く、というように『認識論序説』では論じられていたのだから。

プロレタリア的価値意識への、特殊的には社会的価値意識への対象的なものの反映＝内在化および判断作用――これが、結果的かつ本質的に、「対象的認識と価値判断との統一」というように規定されたのであろう。

覺圓さんの真似をして、「五蘊《ごうん》」――色・受・想・行・識――のカテゴリーを借用していえば、〈色〉＝認識対象の、その超越性におけるその〈受〉＝内在化による、〈想〉と〈識〉（見分け）を行ずるのが、「対象的認識と価値的〈識〉との統一」であるともいえると思う。

われわれが、われわれのおいてある現実的な場所を変革するために、この場所を対象として認識するのであるが、この認識は、われわれのおいてある場所をわれわれにとってのものたらしめる、という価値意識にもとづく判断作用として展開される。このような実践的な認識＝思惟活動を、主体的にではなく対象的に規定するばあいに、それは、過程的にも結果的にも規定することができるのではなかろうか。すなわち、過程的には「対象的認識と価値意識との統一作用」として、結果的には「対象的認識と価値判断との統一」としてとらえられる。人間的物質の意識は、人間的自然およびその外的自然「についての」意識であるが、それは同時に、われわれのおいてある場所をわれわれ自身の実践によって変革されるべきものとしてとらえる、という実践的な価値意識なのである。このような実践性につらぬかれた対象的認識を、認識＝思惟活動の形式的構造からではなく、その内容面から、しかも社会的被規定性のレベルにおいて（つまり社会的認識のレベルにおいて）規定するばあいに、「対象的認識と価値意識または価値判断との統一作用」というとらえかたがでてくるわけなのである。

うことは、一般的には人間認識が客観性と主観性との、あるいは対象認識と価値意識または価値判断との統一として成立するということにほかならない。(『改版UM』六三〜六四頁、傍線部分が挿入、傍点は著者)

ここで「対象認識と価値判断」が「対象認識と価値意識または価値判断」に改定されているゆえんを考えるために、太宰論文を読みかえしてみる。

黒田さんの加筆内容をかみしめる

加筆された箇所に次のようにある。

> われわれが、われわれのおいてある現実的な場所を変革するために、この場所を対象として認識するのであるが、この認識は、われわれのおいてある場所をわれわれにとってのものたらしめる、という価値意識にもとづく判断作用として展開される。このような実践的な認識＝思惟活動を、主体的にではなく対象的に規定するばあいに、それは、過程的にも結果的にも規定することができるのではなかろうか。すなわち過程的には「対象的認識と価値意識との統一作用」として、結果的には「対象的認識と価値判断との統一」としてとらえられる。

実践主体の認識＝思惟活動を、過程的には「対象認識と価値意識との統一作用」と、結果的には「対象認識と価値判断との統一」と規定しうる。実践主体が対象を認識するさいの認識＝思惟活動を対象的に、しかも内容面から過程的に規定するばあいには主体の有《も》つ価値意識との「統一作用」としてとらえる。この認識＝思惟活動を結果的かつ本質的に規定するばあいには「価値判断との統一」ととらえることができる。⑦では、認識＝思惟活動を結果的にだけではなく、過程的にも・結果的にも規定して、「対象認識と価値意識または価値判断との統一」と書きあらためたのであろう。

ではなぜ⑧だけ、「プロレタリア的価値判断」を「プロレタリア的価値意識」と書きなおしたのだろうか。「価値判断」を省いたのはなぜなのか。

〔表〕 対象認識と価値意識または価値判断

	『UM』		『改版UM』		*Methodology of Social Science*	
①	P. 21	対象認識と価値判断の問題	P. 29	対象認識と価値意識または価値判断の問題	P. 30	an issue of objective cognition and value consciousness (or value judgment)
②	P. 21	対象認識と価値判断が	P. 29	対象認識と価値意識または価値判断が	P. 30	objective cognition and value consciousness (or value judgment)
③	P. 25	対象認識と価値判断との内面的反省関係	P. 35	対象認識と価値意識または価値判断との内面的反省関係	P. 37	the internal reflexive relation between objective cognition and value consciousness (or value judgment)
④	P. 54	価値判断との統一において成立する対象的認識の場所的構造	P. 57	価値意識または価値判断との統一において成立する対象的認識の場所的構造	P. 62	the toposical structure of objective cognition which essentially comes into being by being unified with value consciousness (or value judgment)
⑤	P. 54	人間認識の場所的構造の問題（対象認識と価値判断、……）	P. 58	人間認識の場所的構造の問題（対象認識と価値意識または価値判断、……）	P. 63	the circular structure of the toposical questions of human cognition (i.e. the question of objective cognition and value consciousness or value judgment, ……)
⑥	P. 57	対象認識と価値判断との分離	P. 61	対象認識と価値意識または価値判断との分離	P. 67	the separation of objective cognition from value consciousness or value judgment
⑦	P. 59	対象認識と価値判断との統一	P. 64	対象認識と価値意識または価値判断との統一	P. 70	the unity …… between objective cognition and value consciousness (or value judgment)
⑧	P. 59	対象的認識とプロレタリア的価値判断との統一	P. 64	対象的認識とプロレタリア的価値意識との統一	P. 71	the unity between objective cognition and proletarian value consciousness
⑨	P. 42	〔註42〕 対象認識と価値判断との関係	P. 287	〔註42〕 対象認識と価値意識または価値判断との関係	P. 325	[Note42] the relationship between …… objective cognition and value consciousness (or judgment)

⑧　……疎外されたプロレタリアの実践的直観の立場を一切の認識の端緒とすることによってのみ、対象的現実の本質把握が可能になり、対象的認識とプロレタリア的価値意識との統一においてこそ真理認識がなしとげられうるとするところに、マルクス主義認識論が成立するのである。（『改版UM』六四頁、傍線部分が「判断」から「意識」に変更）

この⑧の変更について、学習会で「太宰論文に書きくわえられたところがヒントになるのではないか」とか「『プロレタリア的』という形容句がカギになるのでは」とかと論議になり、考えてみた。

黒田さんは『ヘーゲルとマルクス』での展開にふれながら、客体面（主語面）と主体面（述語面）とに原始分割（判断）する以前の「歴史的自然」（物質的直観内容）を、具体的に賃労働者のそれとしてとらえるならば、それは「プロレタリアの即自的価値意識」であると述べている。

現代社会において賃労働者が資本制的自己疎外を自覚し「コンチクショー！」という怒りに燃え「この社会を変革してやるぞ」と決意をわきたたせる。プロレタリアのこうした対象変革的立場は、彼のこれまでの実践や理論・イデオロギーの体得をつうじて形成し獲得して内的に沈殿させてきたところの人間性・価値意識・歴史的社会的感覚などによって決定される。プロレタリアの価値意識を対象的認識の即自的な前提とし、この実践的立場を認識の端緒とするからこそ、真理認識が可能となる。⑧で論じられているように、まさに真理認識をなしうる可能根拠はプロレタリアの価値意識にこそあるのだ。

けだし、「物質的世界ないし対象的現実の法則性を正しく立体的・構造的に把握するための即自的な前提となり、またそうした把握を保証するための主体的根拠が、ほかでもない実践的＝場所的立場なのであり、プロレタリア的価値意識なのだということである。」（『唯物史観と変革の論理』一四頁。七四〜七五頁も参照）

プロレタリアの認識＝思惟活動の即自的前提をなすとともに、その認識＝思惟活動の全過程につらぬかれる対象変革的な価値意識。この「全過程につらぬかれる価値意識」ということを明確にするために、⑧では、結果的な規定である「価値判断」を省き「対象的認識とプロレタリア的価値意識との統一」と書きあらためたのであろうと私は考える。

ところで加筆部分の最後に次のような展開がある。

　このような実践性につらぬかれた対象的認識を、認識＝思惟活動の形式的構造からではなく、その内容面から、しかも社会的被規定性のレベルにおいて（つまり社会的認識のレベルにおいて）規定するばあいに、「対象的認識と価値意識または価値判断との統一作用」というとらえかたがでてくるわけなのである。

　このことを、マルクス主義認識論の理論的関係――(a)認識論一般（本質論）、(b)特殊的には社会的認識論、(c)プロレタリアの認識論（個別具体的に規定されたプロレタリアの認識＝自覚論）――で考えてみよう。認識一般論(a)においては「価値意識」の問題は捨象され、実践的立場ないし否定的立場として抽象的なかたちで論じられる。価値意識や道徳との統一を歴史性を捨象して一般的に論じるのは社会的認識論(b)、「対象的認識とプロレタリア的価値意識との統一」はプロレタリアの認識＝自覚論(c)において論じられるべきことがらなのである。これらの理論的レベルをおさえる必要がある。

また、「個別的＝社会的」人間意識の価値性、社会的価値意識などについて論述されている『実践と場所 第三巻』を学習し深めることはさらなる課題である。

英語版での表記について

Eさんに指摘されて、『宇野経済学方法論批判』の英語版『Methodology of Social Science』(二〇〇五年発行)を繙《ひもと》いてみた(一一一頁の表を参照)。『改版UM』①〜⑦の「価値意識または価値判断」が、英語では value consciousness or value judgment となっている。or 以下が (or value judgment) というように( )に入っているもの(①②③④⑦⑨)と、( )のないもの(⑤⑥)がある。⑤は文中のカッコの多用を避けたもの、カッコ付きの「価値判断」は文脈上副次的にとらえればよいということを示しているのではないか。なお、⑧の「プロレタリア的価値意識」は、proletarian value consciousness と翻訳されている。

英語版を読んでみると、たしかに本文の文章も註［Notes］も日本語の直訳ではなくさらに詳しい説明が付加されている。図解もふんだんに配置され、認識論の図には日本語版にはない新しいものもある。反スターリン主義思想を世界に普及させるために、海外の読者にむけて懇切丁寧な翻訳になっているのだと痛感した。

旧版『UM』から『改版UM』にいたる過程での表記の変更・修正、さらに英語版の翻訳について、遅ればせながらではあるが認識を新たにし深めることができた。

今回の学習をとおして黒田さんの叱咤の声が聞こえてくるような気がした。逝去されて十四年、われわれは、日々、黒田さんに教えられ導かれて精進するのだと実感する。師・黒田寛一の思想と哲学をわがものとするために生涯倦まず弛まず努力する、その決意を新たにした。さらに勉励するのでなければならない。

(二〇二〇年六月二十六日)

補1　旧版『宇野経済学方法論批判』が増補新版『宇野経済学方法論批判』へと改版されるにあたって、「価値判断」が「価値意識または価値判断」へと変更されているほかにも多くの改定がほどこされている。「現代思潮社版まえがき」からはじまり、第Ⅰ章、第Ⅱ章だけで一〇〇ヵ所あった。第Ⅲ章と〔註〕を厳密につきあわせれば、二〇〇ヵ所以上にのぼるのではないか。「反省」を「反照」に、「止揚」を「揚棄」に直すなどカテゴリーの変更もなされている。文章や言いまわしの修正、助詞の追加、指示代名詞の内容明示、文字・漢字の直しなど、理解のたすけとなるように丁寧で緻密な改定がされている。

反スターリン主義哲学をより精確により厳密に論述するための数多の改定に感銘を受けるとともに、黒田思想を継承するわれわれは層一層奮闘せんとの思いを強くした。

補2　今回の学習会で太宰論文における叙述上の誤りを指摘された。

「宇野弘蔵の場合には、科学・学問に『階級性・党派性』を無媒介的にもちこむスターリニストにたいして、『経済学によって唯物史観は論証されてはならない』という立脚点を対置する」（一一八頁）。これは、唯物史観と経済学の関係が逆になっている。

スターリニストにたいして宇野弘蔵は、「唯物史観によって経済学は論証されてはならない」という立脚点を対置したという実践的な意義をもっている。だがそのすぐれた問題意識にもかかわらず、唯物史観と経済学を「分離」し、「立場」と「論証」とを、イデオロギーと科学とを機械的に切断してしまう。この宇野理論の方法論的錯誤にたいして、黒田さんは『宇野経済学方法論批判』で徹底的な批判をくりひろげている。この批判の武器となっているのが、「対象認識と価値判断」についての論理である。こうした核心について、私は誤りを書き放置してきたことに、こんにち気づかされた。

したがって先の叙述を、「……『唯物史観によって経済学は論証されてはならない』という立脚点を対置する」と訂正します。

黒田寛一著作集の刊行にあたって

プロレタリア解放のために生涯を捧げた黒田寛一の哲学と革命思想を集大成

（1）

日本の反スターリン主義運動を創成し導いてきた革命家であり、盲目の哲学者である黒田寛一、その著作集全四〇巻を、堂々たる構成と装丁のもとにここに刊行する。

今日、新型コロナウイルス・パンデミックのもとで、現代世界はいつ火を噴くかもしれない米中冷戦へと転回した。全世界の労働者人民は、各国権力者によって戦争と困窮を強制されている。

黒田寛一は、自称「社会主義」ソ連邦の崩壊（一九九一年）直後から二十一世紀世界を〈暗黒の世紀〉と予見し、これを突破する「思想的パラダイム」はマルクス思想いがいにありえない、と喝破してきた。本著作集は、労働者人民がみずからの解放をめざして国際的に団結し変革的実践に起ちあがる、そのための精神的武器となるであろう。

第一回配本は、著者の処女作『ヘーゲルとマルクス』を収めた第一巻『物質の弁証法』である。これは、著者の生前の「著作集プラン」にもとづいており、「物質の弁証法」のタイトルも著者がつけたものである。以後、第二巻『社会の弁証法』、第三巻『プロレタリア的人間の論理』と続く。本著作集全四〇巻には、スターリン主義を思想的にも実践的にも克服するという、黒田寛一の先駆的で偉大な追究が凝集されている。

（2）

黒田寛一は、一九五六年のハンガリー事件と対決し全世界でただひとり反スターリン主義運動の創成に起ちあがった。「非スターリン化」を要求して決起したハンガリー労働者の闘いを「労働者の母国」を任じるソ連の軍隊が圧殺した、この画歴史的事件にたいして、黒田は共産主義者としての生死をかけて対決したのだ。労働者階級の自己解放のために、スターリン主義を超克する真実の革命的労働者党を創造し根づかせていく、これが黒田の革命家としての出発点であると同時に、反スターリン主義運動の〈原始創造〉をなす。黒田は生前に語っていた、「〈一九五六年のハンガリア〉は、つねに必ずわれわれが追体験し場所的に実現するべき原点なのだ」と。

黒田寛一（1927年～2006年）

一九五六年以後、黒田寛一は、半世紀にわたって〈反帝国主義・反スターリン主義〉を戦略とする革命的前衛党創造のために奮闘してきた。黒田に導かれてわが革命的左翼は、革命的反戦闘争などの諸大衆闘争や労働戦線の帝国主義的再編反対の闘いをつうじて労働戦線・学生戦線に深く根を張り、物質力をもった反スターリン主義運動を創造してきた。日本帝国主義国家権力による謀略をも駆使した組織破壊攻撃を断固として打ち砕いてきた。まさにこれらは、日本の反スターリン主義運動が世界に誇るべき、世界史的な意義をもつ闘いであった。現代史を最先端において切り開いてきたこの闘いを貫く黒田の哲学と革命思想こそが〈革命の第二世紀〉を導くことができるのである。

全盲という肉体的ハンディキャップを感じさせない黒田寛一のすさまじい闘い、それは、「暗闇につつまれた熱情」と自身が言表しているところの共産主義者としての主体性の発露であろう。この黒田の主体性は、若き日の彼の実存的および思想的の格闘によって育まれ、うち鍛えられてきたといえる。黒田は、「マルクスに帰れ！」と叫びながらマルクスの〈変革の哲学〉をよみがえらせ、みずからの哲学を〈実践の場所の哲学〉として独自に切り開いてきたのである。

（3）

本著作集は、著者自身の構想にもとづいて編成した。革命家にして哲学者であった黒田寛一が残した諸著作・諸論稿（講述テープを含む）は膨大であるが、本著作集では、黒田自身が推敲したものを基本にしてしぼりこみ、四〇巻に収めた。全巻を以下の六つのグループに分類し、年代順に配した。

《哲学》では、現代唯物論の客観主義的偏向と対決し哲学的探究を積み重ねた若き黒田の『ヘーゲルとマルクス』から晩年に書き下ろした大著『実践と場所』全三巻までの諸著作を収めている。ここでは、実践論、認識論、言語的表現論などの核心が追究されている。

《革命的共産主義運動の創成と前進》においては、『革命的マルクス主義とは何か？』などの創成期の著作から、闘いの理論と歴史を総括した『日本の反スターリン主義運動』第一・二巻を、さらに労働運動論の追求などを集成している。反スターリン主義運動に結集した闘う労働者・学生との討論をつうじ、彼らの実践を理論化するかたちで形成されてきた、大衆闘争論・運動＝組織論・同盟建設論で構成される組織現実論は、その白眉をなす。

《マルクス経済学》のテーマのもとに、変革すべき資本主義の経済構造の解明をめぐる学問的論争と対決し『資本論』の方法を考究すると同時に、現代資本主義の腐朽性を暴露した諸著作を収める。

《現代世界の構造的把握》、《スターリン主義ソ連邦の崩壊》においては、スターリン主義・ソ連圏に巻き起こった諸事件、なかんずくソ連邦の「世紀の崩落」と対決し、労働者階級にとっての意味を暴きだした諸著作を集成している。現代世界の激動を「みずからの耳を目として」凝視して読んだ黒田寛一の、世界情勢論および情勢の分析方法などが明らかにされている。

二十一世紀世界は戦争と貧困・「古典的階級分裂」、地球環境破壊に覆われ、資本主義の最期を告げる鐘が鳴っている。《マルクス主義のルネッサンス》においては、黒田寛一が「プロレタリア革命の第二世紀を切り開け」と迫真の呼びかけを発している。

マルクス主義を日本に土着化させるための黒田寛一の追求は、同時に全世界の労働者階級の解放の道を照らしている。日本の反スターリン主義運動が〈世界に冠たる〉のゆえんが、本著作集に一点の曇りもなく明らかにされている。黒田の渾身の諸労作を変革の武器として学んでいかれんことを！

（二〇二〇年九月五日）

黒田寛一著作集刊行委員会

〈全四〇巻の構成〉

A　哲学　第1巻〜第13巻

B　革命的共産主義運動の創成と前進　第14巻〜第25巻

C　マルクス経済学　第26巻〜第28巻

D　現代世界の構造的把握　第29巻〜第32巻

E　スターリン主義ソ連邦の崩壊　第33巻〜第36巻

F　マルクス主義のルネッサンス　第37巻〜第39巻

別巻　黒田寛一のレーベンと為事

Create an antiwar struggle to break through the crisis of war erupting amid the US-China cold war!

The Executive Committee for
the 58th International Antiwar Assembly
-*Zengakuren* [All-Japan Federation of Students' Self-Governing Associations]
-Antiwar Youth Committee
-Japan Revolutionary Communist League (Revolutionary Marxist Faction) [JRCL (RMF)]

We call on all comrades, as well as all workers, students and intellectuals who are striving across the world to oppose wars, tyrannies and poverty.

Today, we are placed in the middle of a world-historical upheaval where one era ends and another begins.

After its first outbreak in Wuhan, China, the new coronavirus swept across the world in no time, riding on the free movement of 'people, goods and money' across borders, on a tide of the so-called global economy. Those who were frightened at this pandemic were state rulers and capitalists, who had been intoxicated with a global expansion of the capitalist economy. In a flurry, rulers closed borders and locked down cities, while capitalists stopped production. Then, with inexcusable cruelty, they sacked and abandoned workers to save their profits.

The world economy has frozen up instantly. What has become tangible amid this 'pandemic depression' is a cruel class division in a classic, 19th century form, together with impoverishment. This means that a death convulsion of late capitalism has started. In the words of Karl Marx, late capitalism is producing its gravediggers every day.

This is not all. Amid the ongoing pandemic, today's world has turned all at once to the 'US-China cold war', which may cause a fire of war at any moment. Its active element is China, the neo-Stalinist state that shamelessly displays the anti-Marxist flag of 'market socialism'. 'The COVID-19 pandemic has brought an end to the American century' is an undisguised expression that appeared in a Chinese official newspaper. The Xi Jinping government of China, witnessing American imperialism writhing in agonies from the rampant coronavirus infection, started to accelerate its political and military offensives, as much as to say 'The time has come', towards the achievement of 'China's dream' to become the ruler of the world in place of US imperialism by the middle of the century. 'The 21st century's Tiananmen repression' against the Hong Kong people, or the strangling of 'one country, two systems', is the signal gunfire that shows this ambition of the Chinese bureaucracy. With this as an impetus, the real possibility of the outbreak of a Third World War is increasing.

We call on workers and people all over the world. War begets poverty, and poverty begets war. Now is the time for the world working class to unite and develop an antiwar struggle to break through the danger of the outbreak of war created amid the US-China cold war, simultaneously with a politico-economic struggle to beat up the government and the ruling class who are dumping all their troubles on the working class amid the pandemic depression.

We are holding the 58th International Antiwar Assemblies on August 2nd in Tokyo and six other cities in Japan. We call on people across the world who are suffering from wars and poverty. With one heart and mind, let us launch a struggle aimed to change the 'dark 21st century' into a brilliant proletarian century!

A bitter clash between the US and China with its focus on Hong Kong and Taiwan

With extreme arrogance, the Chinese government of Xi Jinping

enforced the 'Hong Kong National Security Law' on July 1st. The police arrested protesting people one after another, branding them 'tools of foreign forces'. The Xi leadership launched the brutality of arresting anyone who would fight for Hong Kong's 'independence', controlling the Hong Kong people directly under the Chinese government and military, and finally demolishing 'one country, two systems'. This truly reveals the blood-smeared nature of Stalinist rulers that they have kept concealed behind the signboard of 'socialist market economy', which dazzles greedy capitalists.

This outrageous act by the Beijing bureaucracy is naturally provoking the Taiwanese government of Tsai Ing-wen to incline towards 'independence'. However, the Xi government defines it as a 'core interest' for China to unify Taiwan in the course of time. This government consciously left out the word 'peaceful' from the previous expression 'peaceful unification of Taiwan' in its report submitted to the annual National People's Congress. What's more, based on the de facto territorialization of the South China Sea, this government is now intensifying its moves to seize the Senkaku (Diaoyu) Islands in the East China Sea, and expansively deploying its naval and air forces to the Taiwan Strait and further to the Western Pacific.

In opposition to these acts of the Xi Jinping government to unyieldingly realize its 'Chino-centric nationalism' outwards, the Trump-led US administration applied ineffective 'sanctions' against the destruction of Hong Kong's 'one country, two systems', and is now repeatedly carrying out military demonstrations in the Taiwan Strait to support the Tsai Ing-wen government.

The Taiwan Strait is thus in a highly volatile situation, where US and Chinese forces are carrying out military actions against each other.

The Xi Jinping government holds up the national objective of building a 'great contemporarized socialist country' by 2049, the centenary of its national foundation, and has the world strategy designed for the Chinese state to rule the world as 'the centre of the world'. Towards this national objective, neo-Stalinist China has now started an all-out dash under the leadership of Xi Jinping.

In collaboration with the Xi government, Putin-led Russia has launched a challenge to US imperialism. Russia is still a great nuclear power next to the US. With the aim of achieving its national strategy to 'restore Russia as a great power', it forms an effective military alli-

ance with China. Under the pretext that he would achieve this 'restoration', Putin, posing as today's Ivan the Terrible, forcibly revised the Constitution in order to make it possible for him to remain in power until 2036, thus strengthening the authoritarian and military ruling system.

Amid this cold war between the US and China (with Russia), the Trump administration is bent on containing China, which is ambitious to be the 'world ruler', while holding the banner 'Keep America Great' with unreserved state egoism (and with the aim of recovering from an adverse situation in the Presidential elections just four months away). This is accompanied by a shrill cry to prevent 'Chinese Communist Party's dictatorship' or its 'authoritarian model' from 'expanding around the world' (the recent report to the Congress). The key to this policy is to form a military network to contain China by mobilizing its allies, US-servile Japan and Australia.

Amid the pandemic, the neo-Stalinist state of China, which has started operations to seize the 'hegemony' of the 21st century world from America, and the declining imperialist state of America, which is frantic to prevent it, are clashing head-on in every respect. Under this US-China cold war, the danger of war is mounting with unprecedented intensity.

The nuclear capability build-up race intensifying between the US and China-Russia

In order to consolidate the South China Sea literally as its 'territories', the Xi government has established new 'administrative districts' on the Xisha (Paracel) and Nansha (Spratly) Islands, and is preparing to set up an air defence identification zone over the South China Sea. Further, this government has deployed two thousand intermediate-range missiles on the Chinese mainland like a line of spears, which target US aircraft carriers and the US base on Guam, which is the US military's key fortress in East Asia, as well as those bases in Japan.

In response to this rapid build-up of the Chinese army, navy and air forces, the Trump administration is mobilizing its fleets into the South China Sea and the Taiwan Strait to make military threats within a stone's throw from Chinese forces. On July 4th, when Chinese forces were conducting exercises in the South China Sea, the US

administration dared to send its two nuclear-powered aircraft carriers to the same area and conducted military exercises in opposition to China. It's really a hair-trigger situation.

In this connection, the Japanese government led by Shinzo Abe suddenly withdrew its plan to deploy US-made 'Aegis Ashore' land-based missile defence systems, which the government had promoted since it had obediently accepted Trump's demand. However, this government is willing to accept another demand of the US administration that the Japanese army possess a capability to pre-emptively attack military bases of North Korea and China.

Centring on the competitive deployment of inter-mediate range ballistic missiles in East Asia, the imperialist US and China are bent on strengthening their nuclear capabilities against each other.

The Trump administration one-sidedly withdrew the Intermediate-Range Nuclear Force Treaty with Russia, regarding it as a hindrance to its nuclear build-up. It is now rejecting the extension of the New START arms control treaty, saying that an arms reduction talk without China is of no use. In response, Chinese and Russian governments are developing and deploying new types of missiles that can break through the US missile defence systems.

Thus, it must be said that the nuclear capability build-up race between the US and China-Russia is intensifying on a new level. What's worse, US, Chinese and Russian rulers are bent on developing biological and chemical weapons. The origin of the new coronavirus is a virus laboratory in Wuhan, where researches on viruses have been conducted under the supervision of the Chinese military; now that US, Chinese and Russian rulers have witnessed the pandemic, they will no doubt accelerate their developments of BC weapons.

Bring down the state rulers who are imposing war and poverty on toiling people amid the pandemic depression!

Workers and toiling people in the world!

In the Middle East, the Trump administration is escalating economic sanctions and military pressure on the anti-American, Shiite state of Iran, which is rising with the support of Russia and China. The danger of war is growing in the Persian Gulf and throughout the Middle East. Under the aegis of Donald Trump, the Netanyahu-led

Israeli government is stepping up its drive to annex Jewish settlements in the Palestine territories in the West Bank to Israel. Denounce Israel the occupier of Palestine! In Syria, the Bashar al-Assad government, which is under the patronage of Russia, is continuing to drop bombs to massacre people in Idlib, the last stronghold of antigovernment forces. Condemn this barbarity!

Workers and toiling people in the world!

Monopoly capitalists of all countries are making merciless attacks on workers with mass dismissals and wage cuts. Poor, non-regular workers, coloured and migrant in particular, who are forced to work in wretched working conditions for low wages and sacked in the end, are now driven to starvation and deaths from infection. Owing to governments' artificial boosting of stock prices, capitalists and financiers who are busy playing 'money games' have amassed immense wealth for the last few months. While rulers of all countries are pouring huge quantities of government money into saving monopoly capitalists, they are leaving poverty-stricken people in the lurch. Mass protests against 'racial discrimination' and against 'widening disparities' — now spreading from the US to Britain and other European countries, and to all over the world, regardless of race or colour — are precisely rebellions of impoverished workers against this reality.

The 'disparity' between rich and poor that is widening amid the pandemic is nothing but the opposition between the exploiters and the exploited. Amid the pandemic depression, the class division between capitalists and workers has manifested itself in a tangible form. The same can be said of China. In this country, which calls itself the 'country of market socialism', two hundred million peasant workers have been sacked and thrown on the streets. This is not all. Rulers of capitalist states are hell-bent on strengthening their coercive ruling systems by even throwing away the guise of bourgeois democracy. We call on people fighting across the world. Unite as a working class and launch a fight back against these capitalists and state rulers, who are imposing sacrifices onto workers.

By saying 'We are at war', French ruler Emmanuel Macron has been suppressing strikes, demonstrations and protest rallies of trade unions fighting against the government plan of revising the pension system. The Piñera-led Chilean government mobilized military troops to suppress the antigovernment struggle that had spread like wildfire

throughout the country. The situations are the same in Argentina and in Greece. By exploiting 'measures against infection' to their own advantages, state rulers are strengthening their coercive ruling systems. We must not allow this. Let us fight back!

It is only the internationally united struggle of the working class now exploited and ruled that is capable of overturning the dark 21st century world covered by the crisis of war and poverty. Workers and toiling people in the world! Awake to the root cause and necessity of the collapse of the Stalinist USSR (in 1991), pseudo-socialism, which styled itself as 'a great socialist state' and swayed and confused the 20th century world. Now is the time to take a new step forward towards the building of genuine socialism and communism by abolishing the state and all classes! We, the revolutionary left in Japan, who have been striving to create the organizational struggle of the working class that fights against imperialism and Stalinism, will stand in the forefront of this struggle.

Workers and toiling people in the world!

Let us create an antiwar struggle to break through the crisis of war erupting amid the US-China cold war! Let us oppose the nuclear capability race between the US and China-Russia!

Encircled by the mass protests of Japanese people, Prime Minister Shinzo Abe is showing signs of a downfall and yet clinging to power to look for a chance to make a neo-fascistic revision of the Constitution of Japan. Nevertheless, the leadership of the Japanese Trade Union Confederation, the biggest trade union national centre in Japan, is deeply immersed in tripartite government-labour-management talks, while suppressing workers' struggles to oppose the Abe government. Worse still is the Japanese Communist Party; the central leadership of this party is avowing that it refrains from calling for the overthrow of the Abe government, as 'this is a national emergency'. By denouncing and overcoming these degenerate attitudes of the established opposition leaderships, we have been organizing counterattacks against the Abe government in workplaces and campuses.

On May 8th, in the middle of the state of emergency declared by PM Abe, militant students of Zengakuren staged an emergency protest in front of the PM's Office in Tokyo. Braving the police repression, they fought resolutely under the banner, 'Bring down the Abe government which is leaving the masses in the lurch!' On June 14th, Zen-

gakuren and Antiwar Youths carried out a militant demonstration in Tokyo, marching on the PM's Office and the US Embassy. Their voices calling for a revolutionary antiwar struggle to break through the crisis of war created by the US-China cold war went up in the heart of the metropolis.

Workers and toiling people in the world!

Let us join together and create a grand swell of the antiwar struggle! The anger of toiling people in the world who are made to pay for the pandemic depression is building up more than ever. Raise this anger to working-class awareness and fight to revive the proletarian class struggle worldwide. Now is the time to create the unity of the working class across borders!

(July 4th, 2020)

Messages from Foreign Friends to the 58th International Antiwar Assembly

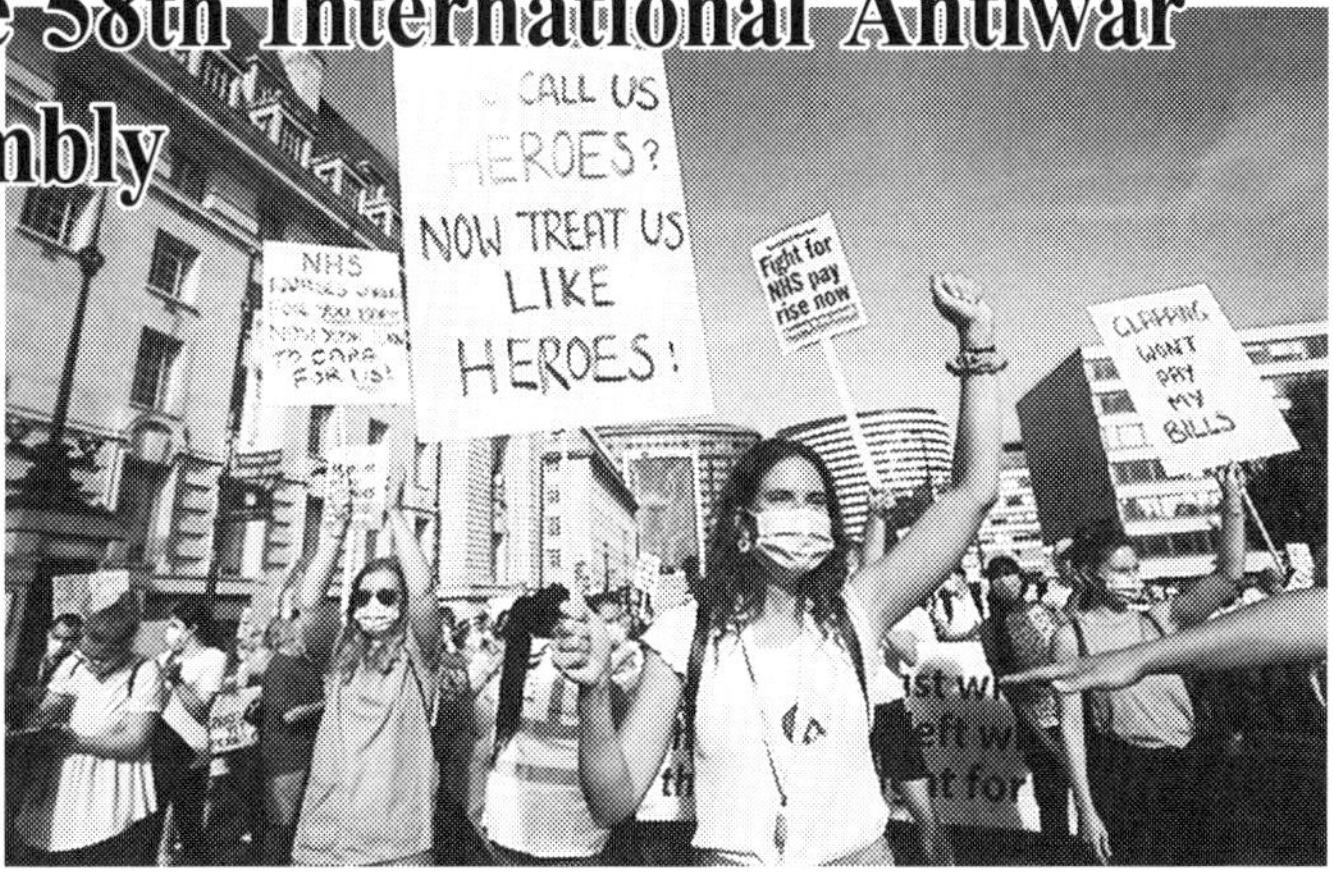

July 29th, 2020, London

Revolutionary Marxists in Britain

We, Revolutionary Marxists in Britain, express our solidarity with the 58th Antiwar Assembly.

In Britain the policies pursued by successive governments of selling parts of the publicly-owned National Health Service (NHS) to private capitalist companies, and reducing the capacity of hospitals, have resulted in over 60,000 deaths from COVID-19. Yet the government of Boris Johnson is using the COVID-19 pandemic as an opportunity to increase the role of private capital in health care. Testing and tracing carried out by private companies for profit has led to chaos, delays, test results being lost and other problems.

The Labour Party is now controlled by right-wingers led by Sir

Keir Starmer. Supporters of Jeremy Corbyn have been removed from all influential positions and in many cases expelled from the Labour Party. Starmer is totally ineffectual against the Johnson government's reactionary measures.

The government is pushing on with Brexit (leaving the EU) and is seeking a trade agreement with the USA, which is likely to include measures to allow US companies to take over parts of the NHS. The Johnson government is closely allied to Donald Trump, and acting in alliance with him against China, as for example in banning 5G telecoms equipment supplied by the Chinese company Huawei.

The British government is now ending financial support for workers who stayed away from work because of the virus, and is insisting that workers must return to their workplaces. This presents particular problems for workers with school age children, as school holidays have started and there are few childcare facilities, as over the last five years thousands of childcare providers have closed because of cuts in funding.

Under pressure, the government has granted a small pay increase to a number of health care workers, and to teachers. The fact that the police and armed forces have also received a pay rise suggests that the government expects to use repressive measures against working class resistance to the mass unemployment that the COVID-19 crisis will bring about.

Meanwhile workers throughout the world have taken inspiration from the Black Lives Matter movement that has developed in the USA. This movement represents the most oppressed section of the American working class and its fight against racist police attacks. The mass "Strike for Black Lives" that took place in the USA on 20 July shows how workers understand racist oppression to be a class issue.

Your "Overseas Appeal" rightly draws attention to the move by capitalist governments in many parts of the world to crush working class resistance to cuts in pay and pensions, and to growing unemployment. We fully agree with you that: "It is only the internationally united struggle of the working class now exploited and ruled that is capable of overturning the dark 21st century world covered by the crisis of war and poverty." We do indeed need "the unity of the working

class across borders".

22 July 2020

イギリス・レボリューショナリー・マルクシスツ　イギリスの左翼グループ。日本の反スターリン主義運動に学びつつたたかっている。イギリス階級闘争について、われわれに折々に便りを寄せている。

Tavini Huiraatira no te Ao Maohi

Dear comrades and friends, ia ora na!

First of all, warmest greetings from Maohi Nui to Japanese People and to our friends from Zengakuren.

As years go by, the situation of the world is becoming more and more critical and volatile as appropriately described in the "Overseas Appeal for the 58th International Antiwar Assembly". The COVID-19 pandemic has exacerbated the eternal greed of imperialist countries for power and dominance by imposing their political viewpoints and management rules on countries which want a free world. Today, opponents to imperialism undergo serious threats leading to economic blockade, annexation or war. A weapon free and nuke free world will never come into sight since the big powers, for so called "security's sake", will never come to an agreement for a weapon free world. Non belligerent countries or peaceful people struggling for a free world could only appeal to a better solidarity to fight against war and impoverishment.

It is important to remind the world that the Pacific Ocean has been the testing area of nuclear weapon for imperialist countries. The uses of nuclear weapons to intentionally kill human being unfortunately occurred in Japan. It is sad to see that the big powers could not understand (or are they simply indifferent?) the harm of such weapon on the

population. Even in areas where nuclear tests have been carried out, consequences for the people and for the testing ground are serious like the case of Maohi Nui.

Maohi Nui underwent 193 french nuclear tests (atmospheric and underground) leaving our country with the following results :

- people lost their land since two islands, Moruroa and Fangataufa, was annexed by France
- lot of our people have cancer due to atmospheric tests
- the two low islands used for underground tests are near collapsing with a great chance to produce a regional tsunami.

For all the people who died of cancer and the future generation of cancer patients, the pro-independence party Tavini Huiraatira and the society Moruroa e Tatou sued France for crime against humanity at the Human Rights Commission of the UNO and at the International Court of Justice. This last action has not been without consequences for Mr Oscar Temaru, president of the Tavini Huiraatira has been sued by the french government as well as Radio Tefana, the only voice of the Maohi Nui people. The objective of France is to eliminate the Tavini Huiraatira independent party.

Countries (including countries to be decolonized as listed by the United Nation) under the control of imperialist countries are in even worse conditions because their rules are subject to perpetual changes to comfort imperialism. Hong Kong and Taiwan are here to remain us what is happening on a bigger scale. In small island countries seeking for self governance, action by imperialist countries are insidious in order to dominate the vast Pacific Ocean. Changes of rules and gerrymandering are common practices of the french government in Maohi Nui. Seeking and telling the truth peacefully is a crime in France. Imperialist countries do not like to be reminded about their past because History has to be conformed to their view. Reminding everyone about the past and History is fundamental for the future generation like you are doing every year for the Hiroshima and Nagasaki events.

We express great solidarity with the 58th International Antiwar Assemblies. Our solidarity with the Japanese people is guided by our common goal to reach a nuclear free World and to remind humanity about the devastating power of the nuclear bomb.

With Solidarity!

Keitapu Maamaatuaiahutapu, Heinui Lecaill &
Guillaume Colombani
Board Members of Radio Tefana and
members of the Tavini Huiraatira

タビニ・フイラアティラ・ノ・テ・アオ・マオイ　フランス帝国主義からのポリネシア独立をめざしてたたかっている団体。名称は「マオイ国人民の奉仕者」という意味。

LALIT

Dear Comrades,

LALIT in Mauritius expresses solidarity on the occasion of the 58th *International Antiwar Assemblies* to be held in Japan on 2nd August 2020.

This year, the Antiwar assemblies are being held in the exceptional circumstances of a pandemic of Covid-19 affecting the lives of workers and poor people across the world in a disproportionately hard way.

This major health crisis has been, and still is, followed everywhere by the long-term, existing capitalist crisis now diving into more severe depths with the halt of many parts of the economy world-wide. The consequences of the combined health-and-economic crises on working class lives are drastic: there are jobs lost, wages cut, and a marked deterrioration of work conditions, including having to work from home, besides having to pay for rises in the prices of basic needs.

In Mauritius, the Government brought major changes in legislation, with more repression on working people including even new work sectors where strikes are now completely illegal, not just during the lockdown period but without any end-date. There are harsher labour laws. The working class and poor people are being made to carry the burden of the economic crisis, while government is heavily subsidizing the bosses to safeguard their profits.

At the international level, imperialist states are not spared the virus and its effects either. Many, like the USA, have a galloping epidemic inside their territory, and also at the level of their military bases, even those abroad, where the virus has flared up, as well as on war-ships, which become like prisons, while the virus rages. For instance, we learnt that some of the US military bases on Okinawa are now under lockdown following cases of Covid-19, while in Okinawa, we understand, local new cases were down to zero. Military bases, thus represent threats not only against peace in the world, but also of spreading the deadly virus. It shows how "bases" are bits of the imperialist country, in this case, the USA, that are outside their borders, in this case part of Japan. Warships are, similarly, bits of imperialist countries that roam the seas.

Our struggle for closing down of the US military base in the Indian Ocean has moved a step forward last year, with the U.N. Resolution compelling UK to end its illegal occupation of the Chagos Islands, stolen from Mauritius in 1960's and then one of the Chagos Islands was leased by the UK to the US imperialists to set-up the Diego Garcia Military base. This UN Resolution followed the judgment of the International Court of Justice against Britain the previous year.

The Diego Garcia military base, over which we need to gain proper democratic control, was used as a trampoline for the USA to wage wars against Iraq and Afghanistan. The military base was where B-52 bombers took off from, while nuclear submarines are repaired there. It was also used by CIA agents for interrogations and illegal torturing of international prisoners, what was known as "rendering".

In Mauritius, LALIT together with workers' organisations and women's associations, is involved in an ongoing campaign to build international support for the dismantling of the military base on Diego Garcia, for the rights of return for the Chagossians, those Mauritians who were forcibly removed from Chagos Islands, and for the complete decolonisation of the African continent. We have noted with great excitement how the struggle in the USA and elsewhere against violence of police towards working people, has moved a step forward to denounce colonialism and all its left-overs.

Our struggle cannot be separated from other international struggles to close military bases in the world, to end wars and to send the troops back home.

LALIT supports the International Antiwar Assemblies intitiative in Japan. We admire your persistence in the fight against imperialist wars and against capitalist exploitation of the working class.

At the time when a world-wide wave of an epidemic, provoking a world-wide wave of new capitalist crises, causes so much suffering, it is also a time when we must challenge the “old order” that existed before the pandemic. The old normal, we find, was just not good enough.

Long live workers’ international solidarity! Towards a revolutionary change!

Long Live the struggle for socialism!

Rada Kistnasamy
for LALIT
19 July 2020

ＬＡＬＩＴ　インド洋の島国モーリシャスの左翼団体。LALIT（ラリット）は、現地語で「闘争」という意味。日本の米軍基地反対の闘争に強い関心と共感を寄せている。

Union Pacifiste de France

Dear Friends,
The Union Pacifiste de France wish you a successful international antiwar assemblies.
After the world crisis, we can work for a better world, without capitalism and war.

Friendly,
Maurice Montet

フランス・ユニオン・パシフィスト　フランスの反戦・平和団体。

News and Letters Committees

To the 58th International Antiwar Assembly:

We extend our solidarity to your assembly, and your calls for proletarian internationalism and antiwar struggle based on that.

Despite Donald Trump's worshipful words toward his fellow capitalist authoritarian Xi Jinping, the rising tensions between the U.S. and China are due as much to one country as the other, as both manifest the disintegrating tendencies of global capitalism in deep crisis, which includes rising nationalism and fascism in many countries.

Most importantly, the ruling classes of both countries, like others across the world, are haunted by the revolutionary potential and stirrings of revolt at home. Working classes in both countries are resisting the capitalists' determination to keep exploiting them and to force workers to risk their lives and the lives and health of their families by toiling in dangerous conditions during the pandemic. National minorities are especially oppressed and superexploited, forging Subjects of revolution that are not reducible to the working class, along with other Subjects that include women and youth.

While for now China has the Uyghurs under such draconian repression that many of them are forced into slave labor, the Black-led multiracial revolt in the U.S. reveals the revolutionary potential that has always been at the heart of U.S. history. This revolt is not only aimed at specific incidents of police brutality and racism, nor only at police brutality and racism in general, but has aired demands to abolish the police, abolish prisons, even to abolish capitalism. That is one way this revolt shows that the thought of the Subjects of revolt is as crucial as any other activities, and needs to be met by the movement from theory rooted in the thought of the movement from practice.

As we put it in "Shattered by pandemic, world needs new beginnings in revolutionary activity and thought," our Draft Perspectives Thesis for 2020-2021:

"Trumpism [is] the expression of the system's senescence that could actually lead to the destruction of civilization. The absolute opposite to this is not just socialism as a generality. The questions of what kind of socialism and what kind of revolution are needed reveal the crying need for a philosophy of liberation. What can make a difference after the revolution between allowing a return to the old, dying system, or making revolution in permanence real? What should be clear, but is too often evaded in the fight to oppose the powers that be, is that to avoid the failure of revolution and thereby the success of the counter-revolution that drives us onward to barbarism and climate chaos, what is needed above all is the unity of philosophy with revolution. ...

"In the future, we will be living on a planet damaged by capitalism, but the possible kinds of life we can have are poles apart, depending on whether we succeed in fundamentally transforming society. In the absolute opposite of today's society, one based on freely associated labor instead of slavery to capital's production for production's sake, we can leave behind pervasive misery, precarity and antagonism, and self-development and cooperation can flourish, as can a rational relationship to nature."

Comrades, let us struggle together to establish revolutionary solidarity in both thought and activity, to oppose and prevent war, to promote proletarian internationalism, to abolish capitalism, racism, sexism, militarism, and imperialism, and to open a revolutionary path to a new, free, human society!

For freedom,
Franklin Dmitryev, National Organizer, for
The Resident Editorial Board of News and Letters Committees,
July 26, 2020

「ニューズ・アンド・レターズ」委員会　トロツキーの秘書だったラーヤ・ドナエフスカヤ女史が創設したアメリカの左翼グループ。「マルクス主義的ヒューマニズム」の旗を掲げている。

Lotta Comunista

July 25th 2020, Italy

Comrades,

our internationalist solidarity to the 58th International Antiwar Assembly in Japan! This year a combination of health, economic and social crises, as well as crises in power relations, have massively affected the world proletariat.

If the development of productive forces has given humanity the tools to intervene in the outcome of catastrophic events, to prevent or mitigate their consequences, the contradiction between capitalist relations of production prevents this from happening in the potential of truly human development. The bourgeoisie developed science, but it found its contradiction in the blind forces of capital. Industry has revolutionized the world but has also dragged it into anarchy; science has been caught in the chaos of capitalist competition and even been prostituted to the atrocities of genocide and atomic extermination.

According to a recent ILO report 1.6 billion workers worldwide operating in the "informal economy" have been severely affected by the confinement measures adopted to contain the spread of the epidemic. These workers, mostly women, have no possibility of working remotely, nor do they have social protection, and have limited access to health services. The ILO assesses a 60% loss of income for these sectors of the proletariat on a global scale, a figure which could rise in those continents where the "informal economy" weighs more

heavily, Africa and Latin America.

Historically, as is well documented not only by Marxist analysis but also by bourgeois reformist analysis, the effects of epidemics differ according to class conditions. The pandemic has clearly confirmed this is the case not only for developing countries but also for the imperialist metropolises, where the proletariat has been deployed on the frontlines to guarantee the operation of "essential services", both sanitary and productive. It is evident in the United States where racial protests are a reflection of the class conditions not only of the African-American proletariat but also of the Latin and Caucasian proletariat, with almost 50 million US workers without sufficient health and welfare coverage, such as sick leave.

We knew very well that Engels' masterful pages on the condition of the working class in England were not outdated, but the pandemic has shown its current relevance on a global scale. This has occurred on a large scale in India, where the quarantine measures adopted by the national-conservative government of Narendra Modi led to an exodus of biblical dimensions of migrant workers from urban areas back to their rural areas of origin; the greatest internal migration since the "partition" between India and Pakistan in 1947. According to various Indian estimates, it might have affected approximately 50 million people, equal to 35% of Indian migrant workers. Furthermore, the approximately 400 million Indian "informal workers" are said to be at risk of absolute and very serious poverty, despite the support measures provided by the New Delhi government, considered by many to be insufficient.

It is evident in Brazil, in second place in the world for deaths after the USA, with about 40 million informal workers, with images of mass graves hurriedly dug in São Paulo, the country's economic and financial capital. It is evident among the immigrant workforce in the Persian Gulf countries, largely from the Indian subcontinent and Asia, with mass expulsions and the creation of quarantine ghettos in Kuwait and the United Arab Emirates, whose economic existence is based on an overwhelming majority of immigrant workers.

But it is also evident in wealthy Europe, in the orange groves of southern Italy and in the French vineyards, or in horticulture and in the elderly care sector in Germany. In Italy, our organisation denounced the rhetoric of the "union sacrée", in which social distancing measures,

in the name of the general interest, still left large sectors of the proletariat exposed to the risk of the epidemic, and we supported strikes in factories for both health and income security, and mobilized voluntary networks to provide assistance in workers' quarters, based on a deep-rooted tradition that has its origins in the development of the workers' movement itself.

The pandemic comes at a time of, and in many ways acts as an accelerator to, a renewed cycle of world tensions. In the context of the imperialist confrontation, there is an increase in tensions between powers with an increase in military expenditure, both conventional and nuclear. In October 2019, Chinese imperialism exhibited the fruits of its growing military modernization, deploying a panoply of new missile carriers on parade, which show the greater weight of China's own nuclear deterrent.

Today there is the explicit possibility of an accelerated rearmament cycle, and not only among the major nuclear powers, with China endowed with the capacity to rise to the third protagonist after the USA and Russia. The regional powers, from Japan to Australia, also debate their positions of "autonomous deterrence" with respect to both the nuclear and conventional American umbrella. In updating its "Defense White Paper", the Canberra government has indicated its intention to increase its military budget by 40% in 10 years; an expense of about 180 billion dollars, which involves the acquisition of "long-range missiles".

Japanese imperialism, since 2017, has begun to acquire cruise missiles and is now debating the possibility of acquiring hypersonic weapons and intermediate range missiles, while cancelling the anti-missile defence system "Aegis Ashore", also moving in the direction of greater strategic autonomy towards the American ally. Military tensions occurred on the Sino-Indian border this spring. New Delhi has replied seeking the support of other maritime powers, participating in naval manoeuvres conducted by the USA with three air and naval groups in the South China Sea and around the Strait of Malacca. Chinese imperialism, in turn, replied with its own military manoeuvres and evoked economic agreements, with a possible military dimension, with Iran, in a Persian Gulf marked by growing military confrontation.

In the Mediterranean, in addition to the continuation of the Syrian

conflict, the growing interventionism of both Turkey and the old Russian imperialism is making itself felt around Libya and the natural gas fields of the eastern Mediterranean. This is a game played with European imperialism, both on energy flows and on migratory flows, where our migrant brothers are used as exchange pawns.

The enormous economic stimulus measures adopted by all powers, colossal in size, on average around 10% of GDP, and the massive return of the state's role in the economy, on the one hand has calmed mass unemployment, especially in advanced countries; but on the other, as the historical experience of the Keynesian measures of the "New Deal" of the 1930s demonstrates, they will be crucial for the massive rearmament cycle, both in the centralization of executive powers and in industrial production capacity for war purposes. The various imperialist and regional powers are moving towards facing this new strategic phase defined by the rise of China and the relative concomitant decline of the western and Russian metropolises.

The Covid pandemic, in its crude reality, shows the indispensable need for a truly unified humanity in a classless society. It is in the spirit of the world revolution and communism that we send you our internationalist wishes for your Assembly!

Lotta Comunista.

ロッタ・コムニスタ　「レーニン主義への回帰」を掲げ、トリアッティらイタリア共産党の堕落に抗して1960年代以来たたかってきたイタリアの左翼組織。党名は「共産主義者の闘い」の意。

The International Secretariat of the Fourth International

We have received the Antiwar's Call for the 58th Assembly Against War, on August 2nd in Tokyo and six other cities in Japan

Yes, the coronavirus pandemic has taken on unprecedented proportions. But the crisis of the world economy was already present before the public health and research systems, considerably weakened by years of capitalist counter-reforms, were confronted with Covid 19 in 2020, and before the policies of blind confinement (in France, for example) or laissez-faire (as in the United States) led to the partial or total unemployment of millions of workers.

Two years ago, in July 2018, the American Trump administration, in the name of "America First", launched the trade war with Beijing in order to eliminate the trade deficit with China and to impose the free penetration of American capital and merchandise. For the Chinese bureaucracy, it is a question of preserving its privileges of the monopoly of the management of the current state capitalism in China, a product of capital coming from multinationals, notably American, Japanese and European, which have come in search of cheap labor.

At the same time, the Trump administration intended to impose its trade conditions on the European Union, Germany, Japan, South Korea ... thus provoking a slowdown of the world economy. And all the governments sought to pass the consequences on to the workers, the youth and the populations in general, i.e. the aggregation of measures of privatization of public services, dismantling of hospitals and reduction of health care rights, the calling into question of the workers' collective guaranties and the multiplication of precarious jobs, the submission of research and universities to private interests, the continuation of deinstitutionalization and delocalization to countries with low labor costs. ...

In this situation, wars and threats of war are everywhere. In Africa, the French army needs to withdraw from the regions (Sahel) it occupies under the pretext of maintaining order. The American navy present in the South China Sea, in reality to support the trade war against Beijing, has no business there because these are simply not American territorial waters.

And it is clear that Article 9 of the Japanese Constitution, which prohibits Japan from waging war, should not be changed, because it is a valuable point of support for fighting against war in that part of the world. And it is right to oppose the construction of a new U.S. Navy base in Okinawa.

But against imperialism's measures, at the same time, in 2019, at

the center of the world situation there arose the revolutionary developments in Algeria, the uprising in Chile, in Lebanon, in Iraq. In Hong Kong, millions demonstrated in 2019 and 2020 against police violence and for the election of the city's leaders by full universal suffrage, initially forcing Beijing to withdraw the extradition law. But, terrified that Chinese workers and youth will not take up the same demands as the people of Hong Kong, the Chinese bureaucracy, with the national security law, is seeking to stifle Hong Kong's pro-democracy movement.

In 2020, there are strikes and demonstrations in France for the withdrawal of the retirement reform, but, above all, provoked by the murder of George Floyd by a policeman, the anger in the United States has triggered demonstrations throughout the country against racial violence and state repression. And these demonstrations have had an international echo.

This is the movement by which the peoples, workers and youth intend to resist the decomposition of the capitalist system "carrying war as the cloud carries the storm" (Jean Jaures).

Have a good anti-war assembly
June 27, 2020
The IS of the Fourth International

第四インターナショナル国際書記局　第四インター創設メンバーの一人であるピエール・ランベールが率いてきた国際組織。中心はフランス。ランベールの死後、二分裂した。

Organising Committee for the Reconstitution of the Fourth International (OCRFI)

July 29, 2020

To all those taking part in the 58th International anti-war assembly, we send our internationalist and revolutionary greetings in the name of the OCRFI.

For the 58th year, you are holding in Japan the International Anti War Assembly in commemoration of the dreadful tragedy which reduced to ashes the Japanese town of Hiroshima and Nagasaki on the 6 and 8 of August 1945, killing people by hundreds of thousands, and leaving behind it a long chain of other victims.

You are right no one should forget what happened in August 1945. That month, American imperialism showed its true face, the face of war and barbarism, the face of imperialist exploitation.

What happened then has to be remembered because it is a warning that the capitalist system, imperialism, is ready to commit any dreadful act which it feels necessary to defend and extend its rule.

This year 2020, your anti-war assembly takes time at a moment when the world imperialist system — and the most powerful imperialist State — is engulfed in a critical crisis. The pandemics, COVID 19, are not the cause of that crisis. It is spreading the world over as it only accelerated and exposed the fact that the capitalist exploitative system based on the private property of the means of production was unable to overcome the consequences of the 2008 crisis and was heading towards a new disaster.

The last months have exposed the murderous character of the capitalist system. By hundreds of thousands, people have died mostly because of the lack of adequate health protection. Because the whole sanitary system worldwide was dominated by the need of profits. The pandemic is now used to justify the biggest wave ever of lay offs, adding new millions of unemployed to the existing mass of workers already deprived of labour. In that context, everywhere, governments take measures to destroy all the benefits the working class worldwide had gained by their past struggles.

Everywhere also, the working class and the people which were already engaged in tremendous struggles to defend their rights and their standards of living, are fighting back.

In such a situation, imperialism is ready to take any move that can defend its system, including preparations and acts that could lead to new major conflicts. American imperialism, which, because of its power, occupies a leading position in the imperialist system, has the means to do so. Its military budget in 2020 goes beyond 750 billions of dollars, as much as the cumulated budgets of the 16 most important countries in the world. Once again, American imperialism is reaching a point where it may choose a war as an answer. Your assembly is taking place at a time when the most dangerous threats are present in the international situation.

The present crisis is destroying the basis on which rested the previous international relations and the accommodation between American imperialism and the ruling bureaucracy in China, which provided low cost labour to the imperialist world system.

Imperialism is more and more engaged in an attempt to ensure its total and direct domination over Asia as over the whole world. That is what is at the root of the increasing military, diplomatic and commercial pressures on China.

The Chinese leading bureaucracy, which, in Stalinist manner, opposes any open expression of the Chinese working class, has been linked to imperialism for years and wishes today a new "peaceful coexistence" on the basis of the oppression of the Chinese working class. The struggle against the threat of war can only be waged in relation with the struggle against the imperialist system itself, against its States and against its allies.

In that sense, the huge struggle which is today increasing all over the United States against institutional racism, in defence of the oppressed Black population, is a struggle in defence of all workers rights and a blow directed against the warmonger which seats in Washington.

The struggle of the Chinese workers for their right to organise, for their democratic control of the means of production, is also part of that same struggle which is the struggle of the workers of the world on each and every continent.

Let's regroup our forces to move forward in the building of an International Organisation that will unify those struggles.

The International shall be the Human Race.

The Organising Committee for the Reconstitution of the Fourth International (OCRFI)

第四インターナショナル再建組織委員会（ＯＣＲＦＩ）二分裂したランベール派組織のひとつ。

Organization of Communists Internationalists, Greece (OKDE)

Comrades,

OKDE (Organization of Communists Internationalists, Greece) greets the 58th Antiwar Assembly in Japan.

The present situation of deep capitalist crisis, has made steps forward to a scale of global depression unprecedented in the history of capitalism. There were signs and results for a next episode of depression since late 2018, but as all capitalist economic tools ware failing to prevent a new eruption of the crisis at the beginning of 2020, the coronavirus pandemic exploded all the contradiction of the imperialist / capitalist system. There is not even a single economy that is not affected and nearly all of the imperialist and capitalist elites respond similarity, both in panic but also stepping up repression against the masses and building up the authoritative, emergency state. Side by side with a huge amount of "money drooping" capital, aimed to prevent the collapse of the production, there is an escalation of state repression, limitation of democratic rights, nationalism and militarism. The health crisis is magnifying also the crisis of the political system and the ruling elites, their inability to show up us protecting the society. The rivalries between the old imperialist powers and the emergent capitalistic economies become more and more furious. In many open

conflicts, regional powers intervene not only for their regional interest, but also as "representatives" of one or another global imperialist power. The danger of an expanded or even generalized imperialist war, even of nuclear wars, approaches.

The USA, which declines economically and technologically without stop in comparison with the emerging economies (of whom the great protagonist is China), is trying and will try everything to halt this decline and to regain its dominant position as the world leading capitalist economy. The pandemic is used just as another opportunity for the Trump administration, to extend its aggressive offensive against China. Despite the US military supremacy (challenged regionally in many cases in the last decade, but still undoubtedly existing globally), the political leadership of the imperialist system and the dominance of the US Dollar on the global economy, are not any more a de facto situation that nobody expects to change. Already, the US economy has lost its leadership in technological advancements and is falling behind in new technologies' introduction (including robots and other automation). USA has openly declared an imperialist war against its competitors (both their old western allies, EU, UK, Japan and the emerging new imperialist powers like China, Russia or the regional 'big players' or even sub-imperialist powers like Turkey or Iran). It's still an economic and technology war (including also the r&d, patents and the production of vaccines or treatments for the coronavirus). But as reserves of gold, currency reserves, even the purschaing power is being amassed in China, the former dominant capitalistic economies are left with nothing but deficits, debts, de-industrialization, unemployment and the parasitic vultures of the stock exchange system.

The world is being threatened by a generalization of this war, a new world war, between alliances, whose the central axes will be the USA on one side and on the other China, along with (as it seems) Russia. The war in Middle East, the tragedy of the people of Syria, Iraq, Yemen, Palestine, Libya etc. show what may follow for the whole world. Despite the health crisis and the pandemic, imperialist intervention is not reducing pace, on the contrary, it's accelerating, with troops, ships, planes and 'specialists' openly acting in many theaters of war. Alongside, all regional powers of the Eastern Mediterranean and the Middle East are not just choosing sides. Greece, Turkey, Israel, Egypt, Iran are actively competing or allying, threatening or supporting each

other, not only on existing conflicts but also on many fields including the control off the sea, sea borders, gas reserves etc. Despite the economic depression and the bankruptcy of their economies, the regional elites are investing on nationalism and state oppression against their internal enemy (the working class), militarism and new weapon orders for their troops, racism and religious fundamentalism.

The escalation of tension at many other key points for imperialist domination and expansion is happening daily. From Crimea to the Sea of China and the North Pole passages, warships and nuclear submarines are 'acting' more aggressively. At the Persian Gulf and its important passages (Hormuz etc.), USA and its regional allies (mainly Israel and Saudi Arabia) are opening a new chapter on the aggression against Iran, that they pursue to climax to an open conflict.

USA and Russia, by far the biggest nuclear powers, are threatening each other with a nuclear apocalypse, on the shoulders of the global population, the planet, the human civilization. All the treaties to control nuclear arm expansion have been abandoned by both these 2 main nuclear powers (USA and Russia), on top of the renewed global arms race (in which the US spends by far the most huge amounts and remains the no 1 lethal imperialist power). The workers, the young and the old, the oppressed, the humanity is in a great danger.

In our country, Greece, which is a member of NATO (with one of the biggest percentage of military spending globally with regards to the GDP, despite the chronic economic crisis and 'internal devaluation' against the workers and the poor!), the Greek capitalist class has formed a reactionary alliance in the East Mediterranean Sea, with the reactionary, bloody-shed states and governments of Israel and Egypt. It participates actively in the spreading of nationalism and war, for the sake of profits of the big imperialist monopolies and some of their Greek capitalist collaborators. With the new aggressively right government of ND (New Democracy) elected last year, we have even more steps in the pro-imperialist policies of the previous government (of SYRIZA), in full coordination and 'strategic dialogue' — as they name it — with the aims of the US, NATO and European Union imperialist policy in the area.

The people of the whole region of the Balkans and the South East Mediterranean Sea are severely threatened by the growing capitalist /

imperialist competition over the newly located energy resources. Both Greek and Turkish elites are acting more aggressive to expand claims on natural resources based on the force of arms power and their international alliances. It's the same in the Balkans, which the USA is trying to convert to a huge military base and buffer against Russia.

We are trying to develop an antiwar movement, which will withdraw Greece from NATO and the warmongering European Union, which will call back all the Greek soldiers from mission abroad, which will reduce the spending for war armaments — and of course that will shut down the many and dangerous military bases. Finally, we are trying to develop the consciousness that these wars to come are not our wars, they are not working class wars, that the 'defense of the homeland' is a bourgeois trap — and to develop concrete links and actions of workers' and people's internationalism, antiwar and anti-imperialist struggle in our region.

The global rise of mobilizations against state oppression, racism and police brutality, the international solidarity and coordination of the global social movements gives us hope that the working class can not be 'broken down' as easily as the global capitalist and imperialist elites hope. We will wage this fight with full consciousness of the difficulties ahead, of the need for a broad and deep reconstruction-recomposition of the workers' movement, of the building up of rooted, effective new revolutionary leadeships, that will help surpass the dead-end of amassed wrong and opportunist choices internationally, that have led to a certain crisis in the ranks of the workers' movement and the revolutionary left themselves. We will not be once again meat for the cannons of the capitalists and imperialists. The way to build a really massive and effective antiwar movement is based on class independence and proletarian internationalism. For Greek revolutionary marxists, our 'closest' enemy is our local bourgeoisie elite and their imperialist allies (that is, the western old imperialist powers, who, as they decline, become more and more aggressive and opportunistic, irrational and catastrophically dangerous). We are not choosing sides on the imperialist competition, there is no progressive, or 'good' imperialism or emerging power.

For us, the way out of the horror of war stands in the international cooperation of the working class movements, the development of

common international struggles, in the development of an anti-war and anti-imperialist movement and finally in the socialist revolution.

We hope for every success of the 58th Antiwar Assembly!

With antiwar and antiimperialist, internationalist and revolutionary greetings!

OKDE, 28. 7. 2020

ギリシャ国際主義共産主義者組織（ＯＫＤＥ） トロツキズムの流れをくむギリシャの左翼組織。

Prospettiva Marxista

Dear comrades,

The world pandemic, which this new decade has opened with, is yet another revealing mirror of the contradictions and class nature of our society. In defiance of the bourgeois fable of a united humanity fighting against a common enemy, the virus, the harsh capitalist reality emerges. Within States, a rational management of the emergency remains a mirage, destined to succumb to the dictates of profit; beyond national borders, imperialist wars and conflicts continue to rage.

Although the comparison between war crises and health emergencies — widespread in the recent bourgeois press and functional to ideological misreadings — is largely inaccurate, there are still some similarities in the political and ideological responses that these two otherwise different events have triggered.

On the one hand, the pandemic has brought the role of the State fully back into the spotlight. At the height of the emergency, national States have proved to be still effective and crucial instruments for the defence of bourgeois interests. But just as the State clearly revealed its class nature — as it happens during wars — ideologies of national unity, of sacred union against the "common enemy", spread. Just as

the State subordinated every public measure to the need to preserve profits, it was celebrated as the defender of the whole community, of common interests.

In spite of any claim of union against the virus, the weight and risks of the pandemic were loaded on the shoulders of one class only. Sent to the production "front" during the lockdown, the proletariat is now economically assaulted, and summoned to pay for the lost profits of the bourgeoisie. As always during crises and wars, our class is bound to pay the highest price.

In capitalist societies, there is no impartial State, no common interest or common enemy. The present pandemic, along with all the current crises and wars, clearly demonstrates this, showing us once again that the only possible struggle is the revolutionary one.

マルクス主義展望　イタリアで『マルクス主義展望』という理論誌を発行している左翼グループ。

Revolutionary Workers Party (DIP)

i come and stand at every door / but no one hears my silent tread
i knock and yet remain unseen / for i am dead, for i am dead.
i'm only seven although i died / in hiroshima long ago
i'm seven now as i was then / when children die they do not grow.
I'm knocking on your door ... / Aunt, uncle, give a signature ...
Children shalln't get killed
So that they may live and grow and laugh and play.
Nazım Hikmet

Dear Comrades,

Three quarters of a century after Hiroshima and Nagasaki, the world faces the possibility of a new world war. The most central issue of this war is the encirclement, isolation, and containment of China

and Russia. These two countries have become powerful states thanks to the socialist revolutions and construction processes they experienced in the 20th century. The main aim of imperialist forces of USA, EU, Japan and their allies is to bring down these two countries to their knees, in order to keep them away from posing any danger.

From the tug-of-war over the South China Sea and the delicate balancing act regarding North Korea, the discordances expanded to a spectrum of areas that include the trade war between the US and China and the subsequent move of the Taiwanese bourgeoisie towards a national particularism. The US launched sanctions on the pretext of Chinese policies in Hong Kong and Xinjiang. Hong Kong is, first and foremost, a colonial question. The sovereignty of China over Hong Kong cannot be questioned on the basis of the political regime of this island that rightfully belongs to China. Furthermore, US imperialism took new measures to cut Chinese technology companies off from American engineering skills. The crusade against the 5G development of Huawei is unprecedented in the annals of technology. India's Modi, who brought down his mask to reveal his Hindutva fascism increases aggression on the border with China due to the encouraging of imperialism. Within this context, the coronavirus pandemic that broke out in Wuhan is used by another affiliate of fascism, Trump, to slander China.

A renewed bout of tension with Russia is also not to be excluded. Despite the ambiguities of Trump's policy regarding Russia, it should not be ignored that NATO is still a war machine that targets first and foremost this country of great military capability, in particular in the field of nuclear power.

However, the dynamics of this war are not limited to the areas of conflicts with Russia or China. The imperialist and Zionist ambitions and sectarian wars in the Middle East, as well as contradictions and conflicts in Africa, can trigger the outbreak or spread of a world war. In the Middle East, the impasse created in Idlib puts Turkey, a member of NATO, and Russia on opposite trenches. Saudi Arabia, the United Arab Emirates, Egypt and other reactionary Sunni Islamic states are brought together in an alliance that includes Israel against Shia Iran and its allies in the region. The objective of the imperialist camp is to put an end to the threat that Iran poses for Israel and to bring down the foremost ally of Russia and China in the Middle East.

In the Eastern Mediterranean, the alliance between Israel, Egypt, Greece, the Republic of Cyprus, and others based on newly discovered sources of natural gas, has fallen out with Turkey, which claims that it should have a say over these resources because of its own rights and those of North Cyprus. Behind General Haftar of Libya, is a large counter-revolutionary imperialist-Zionist array of forces including France, Egypt, Saudi Arabia and the United Arab Emirates. Sarraj's GNA and supporters as Turkey and Qatar, too, is not meant to defeat imperialism but to seize Libyan oil. The United States takes one or the other side depending on the concrete situation, with Britain standing silently behind Turkey. Here again Turkey and Russia are at odds.

The Zionists having been emboldened by Trump's "deal of the century" and the US provocation concerning the status of Al Quds / Jerusalem, now prepare to announce annexing some parts of the Jordan River Valley and of the West Bank that they had failed to usurp in 1948 and 1967.

Behind these escalations lies the capitalist world economy prone to deepening contradictions under the influence of the Third Great Depression since the great financial collapse in 2008. The Coronavirus pandemic has, moreover, ignited the explosion of all the unresolved contradictions of the global capitalist crisis. In its essence, the pandemic has shown that capitalism has now proved to be incompatible with the most urgent needs of the life process, a historical obstacle that only the world socialist revolution can and should overcome.

As should be expected, this capitalist crisis also gave rise not only to a possibility of a new world war and fascism that can bring about greater disasters than the past, but to what we call the third wave of world revolution. This was started with the Arab Revolution in 2010-11. And today, it can be traced from the numerous mass movements emerged all over the world in the form of rebellions and revolutions in the last two years. Those include but are not limited to Sudan, Algeria, Lebanon, Iraq, Iran, Chile, Haiti, Puerto Rico, Ecuador, Catalonia, France and lately USA.

Struggling in a country surrounded by wars and revolutions, under the squeezing grasps of despotism and imperialism, Revolutionary Workers Party, the DIP, expresses its solidarity with the organizers and attendees of the 58th International Antiwar Assemblies in Japan.

Our fight is to bring down the despotic regime in Turkey, the en-

emy of the workers and the oppressed, by uniting the struggle for bread and freedom. Our fight is to pull Turkey out of NATO, close all imperialist bases in the country, to cut all economic, military, diplomatic, cultural and academic ties with Zionist Israel and to kick imperialism out of the Middle East, for a Socialist Federation of the Middle East and North Africa!

We have to act together for the sake of the world revolution by organizing the working class in the revolutionary parties at the national level and at the international scale in a revolutionary international, both to resolve the global economic crisis in favor of workers, toiling masses, the poor and the oppressed, and to protect humanity against the danger of destruction by fascism and in a new world war.

Internationalist communist greetings.

DIP (Revolutionary Workers Party)
31 / 07 / 2020

革命的労働者党（ＤＩＰ） トロツキズムの流れを汲むトルコの組織。

Российская Коммунистическая Рабочая Партия

Уважаемые товарищи!

Центральный комитет Российской коммунистической рабочей партии (РКРП) горячо приветствует участников 58-й международной антивоенной ассамблеи и желает всем успешной работы!

В этом году российские коммунисты, рабочий класс России, как и все советские люди, с особой ясностью осознают возрастающую опасность нового наступления фашизма и его неизбежного следствия — разрушительных войн. Ведь в этом году мы отметили 75-летнюю годовщину великой победы

Советского народа над гитлеровским фашизмом и его союзниками по антикоминтерновскому пакту. Это была классовая война — война между капитализмом в его наиболее отвратительной форме фашизма, несущим народам нищету и смерть, и строящимся коммунизмом, несущим трудящимся освобождение от эксплуатации, всестороннее развитие и мирную счастливую жизнь. Никакие ошибки, допущенные в строительстве социализма в СССР в сталинский период и после него, не могут зачеркнуть достижений реального социализма и поставить под сомнение правильность самого социалистического пути. Ошибки борьбы не являются предательством или изменой. Именно Советский Союз внес решающий вклад в Победу над фашизмом в 1945 г., прорвал цепь капитализма и вывел социализм на международный уровень, создав лагерь социализма. Мы жили в условиях социализма и можем судить о том, что было лучше тогда. Лучше были отношения между людьми! Они были более честными, более справедливыми, более человечными. За это стоит бороться!

Мы отметили юбилей Победы в условиях временного поражения социализма на нашей земле, в условиях всё более наглого наступления капиталистической диктатуры и нарастающей фашизации правящего режима в России. Мы с болью воспринимаем возрождение фашизма на Украине и оказываем помощь борьбе народа Донбасса. В этих условиях ещё больше возрастает значение международной солидарности рабочих, коммунистов всех стран, антивоенных сил всего мира. Мы внимательно следим за обостряющейся ситуацией в мире, нам близки переживания и борьба японских революционных коммунистов, хотя мы не разделяем некоторые ваши оценки истории и сегодняшней ситуации в мире. Считаем, что в условиях империализма чрезвычайно важно уметь использовать трещины и противоречия в лагере империализма для развития борьбы пролетариата и прогрессивных сил.

Мы считаем весьма полезным установившиеся товарищеские отношения между нашими партиями и движениями и выражаем надежду на дальнейшее укрепление этих отношений, в т.ч. на развитие плодотворных теоретических дискуссий. Мы хотели бы, чтобы эти отношения перешли на новый уровень сотрудничества

и установления постоянных рабочих связей. Надеемся, что этому даст новый импульс юбилей вождя мирового пролетариата — 150 лет со дня рождения В.И. Ленина, который мы намерены широко отметить проведением ряда мероприятий, в том числе, и в международном коммунистическом движении.

Ещё раз выражаем пожелание успеха в работе вашей ассамблеи.

Фашизм не пройдёт!

Пролетарии всех стран — соединяйтесь!

От Центрального комитета РКРП:
Первый секретарь ЦК С. Маленцов.
Секретари ЦК В. Тюлькин, И. Ферберов.

ロシア共産主義労働者党　ジュガーノフ率いるロシア共産党が実質的にプーチン翼賛政党と化していることを厳しく批判。みずからは「レーニン主義の党」を標榜して、労働運動などにとりくんでいる。

＊以下の団体からのメッセージは次号に掲載します。──国際レーニン・トロツキー主義派（FLTI）／労働者国際同盟（WIL－ジンバブエ）／戦争抵抗者同盟／アフガニスタン急進左翼（LRA）／労働者革命党（EEK）／ロシア共産主義者党

国際・国内の階級情勢と革命的左翼の闘いの記録（二〇二〇年六月〜七月）

国際情勢

6・1　米大統領トランプが警官による黒人殺害事件抗議デモ鎮圧のため連邦軍を投入する意向を言明。国防長官エスパーが反対姿勢、前国防長官マティスがトランプ批判の書簡公表（3日）。デモは全米50州に拡大、ワシントンでは1万人規模に（6日）

6・2　極左グループを偽装して破壊行為を煽ったとして米ツイッター社が白人至上主義者のアカウント停止。フェイスブック社も投稿規制強化を表明（5日）

▽露大統領プーチンが核兵器の先制使用条件などを謳う「核抑止力の国家政策指針」に署名、公表

6・4　**香港立法会で中国国歌を侮辱する行為を禁じる国歌条例が成立。**天安門事件31年の追悼集会は敢行

▽中国で台湾上陸作戦訓練の動画が大々的にTV放映

▽米海軍ミサイル駆逐艦ラッセルが台湾海峡通過

▽印・豪オンライン首脳会談で安保・経済の協力合意

6・10　米FRBが事実上のゼロ金利政策を22年末まで維持する見通しを公表。ニューヨーク株価が前日比1862ドル安で過去4番目の下げ幅（11日）

6・11　トランプがアフガニスタン戦争の戦争犯罪捜査に対抗し国際刑事裁判所当局者への経済制裁を可能にする大統領令に署名

6・12　プーチンがクリル諸島とクリミアは「ロシア国民の祖国」と演説。国防省が新型戦略原潜就役を発表

6・15　トランプが駐独米軍9000人削減計画を明示

▽**中国軍がカシミール地方でインド軍を攻撃し20人殺**

国内情勢

6・1　全国43自治体がオンライン申請の10万円給付で大混乱し6月1日までに受付を停止

6・2　持続化給付金の事務業務を受託した社団法人が受注額の99％以上を電通などに再委託・外注したと経済産業省の資料から判明

▽東京都で新型コロナ感染者が増大し都が「東京アラート」を発令

6・3　参議院憲法審査会を開催できず国民投票法改定案の今国会での成立が見送りに

6・4　自民党が新型コロナ感染収束後の経済・社会のあり方を検討する「新国際秩序創造戦略本部」を創設し初会合

▽自民・公明・維新がマイナンバーと預貯金口座をひも付ける議員立法の共同提出を合意。総務相・高市早苗が賛意を表明（9日）

6・7　沖縄県議会選挙で知事・玉城デニーを支える与党が過半数を維持

6・8　1〜3月期GDP改定値、実質GDPが年率換算2・2％減

▽4月の経常収支が前年同月比84・2％減、貿易収支赤字9665億円で1年前の8倍に

▽ホンダがサイバー攻撃で世界9工場生産停止

6・9　毎月勤労統計で4月の現金給与総額が前年同月比で4ヵ月ぶりにマイナス、残業代など所定外給与は同12・2％減

革命的左翼の闘い

6・8　沖縄県学連が辺野古埋め立て工事再開阻止の現地闘争。辺野古の浜で抗議行動

6・12　県学連が辺野古埋め立て資材搬入阻止の現地闘争。米軍キャンプシュワブ・ゲート前で労働者・人民とともに阻止行動に起つ

6・14、21　**全学連と反戦青年委員会が米中冷戦下での戦乱勃発の危機を突破する反戦闘争に全国で決起。首都と北海道、東海、関西、沖縄の各地方で労学統一行動を実現**

〈6・14〉　全学連と反戦青年委員会が首都で労学統一行動。米中の全面激突下の戦争勃発の危機を突き破る革命的反戦闘争の炎を燃えあがらせる。新型コロナパンデミック下の厳戒態勢を打ち破り国会・首相官邸・米大使館にむけ戦闘的デモ

全学連北海道地方共闘会議と反戦青年委員会が全道労学統一行動（札幌市）。〈パンデミック恐慌〉下の犠牲強要反対・反戦・改憲阻止を掲げ自民党道連にデモ

全学連東海地方共闘会議と名古屋地区

害。中・印・露外相が電話会談で和解模索（23日）

6・16 北朝鮮が脱北者の金正恩批判風船ビラに抗議し開城の南北共同連絡事務所を爆破

6・17 米中が外交トップ会談をハワイ・ヒッカム空軍基地で開催、香港・ウイグル問題で激しく対立

6・18 米連邦最高裁がトランプ政権による不法移民の若者の強制送還措置を認めない判決

6・22 米・露新戦略兵器削減条約（新START）の延長をめぐり高官協議。中国を加えた新たな枠組みを主張する米と単純延長を求める露が対立

6・23 前米大統領補佐官ボルトンがトランプ外交の失敗を暴露する回顧録を出版

6・24 プーチンが対独戦勝75年記念パレードをロシア各地で実施、モスクワ「赤の広場」では極超音速ミサイル搭載の戦闘機などが参加し戦力強化を誇示

6・26 ASEANオンライン首脳会議、議長声明で中国の南シナ海軍事拠点化への警戒を事実上表明

6・28 仏統一地方選で大統領マクロンの与党「共和国前進」が主要都市で敗北、「緑の党」が躍進

6・29 中国が米国民へのビザ発給を制限。米の香港の「人権抑圧」を理由にしたビザ発給制限（26日）に対抗

6・30 **中国全人代常務委員会が「香港国家安全維持法」案を可決、習近平が署名し即日公布。米国務長官ポンペオが同法を「1国2制度の破壊」と非難**（7月1日）

7・1 香港で若者ら1万人が国安法に抗議、香港警察が「香港独立」を掲げる9人を同法違反で逮捕

▽**露で憲法改定案をめぐる国民投票、賛成多数で成立**

6・12 作業員の新型コロナ感染で中止していた辺野古新基地建設工事の再開を防衛省が強行

▽20年度第2次補正予算が参院で可決・成立

6・15 **防衛相・河野太郎が陸上配備型迎撃システム「イージス・アショア」配備計画の停止を発表。**河野がイージス・アショア配備停止にともないアメリカの企業や政府が支出した費用を日本が負担すると表明（22日）

6・16 自民党参院議員・河井案里の秘書に広島地方裁判所が公職選挙法違反で有罪判決。**河井案里、前法相・河井克行夫妻を東京地検特捜部が逮捕**（18日）。**両者を起訴**（7月8日）

▽日銀が企業への資金繰り支援を75兆円から110兆円に増大する追加拡充策を決定

6・17 通常国会閉会。検察庁法改定案が廃案に

▽5月の訪日外国人旅行者がほぼゼロに

6・18 **首相・安倍晋三がイージス・アショア配備停止をうけ「敵基地攻撃能力」の保有を検討すると表明。NSCが代替MDシステムや「敵基地攻撃能力」の検討に着手**（24日）。自民党が「敵基地攻撃能力」の検討開始（30日）

6・23 政府がマイナンバーカードと運転免許証の一体化の検討をうちだす

▽5月の工作機械受注が前年同月比52・8％減、09年11月以来の低水準

6・24 経済再生相・西村康稔が政府の新型コロナ対策の専門家会議を「廃止・刷新」と発表

6・26 静岡県知事・川勝平太がJR東海社長・金子慎との会談でリニア中央新幹線の静岡県

反戦が全東海労学統一行動（名古屋市）。反戦反安保・安倍政権打倒を訴え名古屋市街を戦闘的デモ

〈6・21〉 全学連関西共闘会議と反戦青年委員会が全関西労学統一行動（大阪市）。反戦反安保・改憲阻止を掲げ自民党大阪府連にむけデモ

沖縄県学連と県反戦労働者委員会が沖縄労学統一行動（那覇市）。辺野古新基地建設阻止・安倍政権打倒をよびかけ国際通りをデモ

6・15 県学連が「オール沖縄会議」よびかけの辺野古資材搬入阻止の現地闘争に決起。労働者・市民の先頭で基地ゲート前座り込み闘争をたたかう。「全基地撤去・安保破棄・安倍政権打倒」を訴える

6・23 鹿児島大学共通教育学生自治会がJR鹿児島中央駅前で街頭情宣。困窮人民見殺しの安倍政権打倒を訴える

6・29 わが同盟北陸地方委員会が金沢市香林坊で米中冷戦下の戦争的危機を突き破る反戦闘争をよびかける街頭情宣

6・30 県学連が那覇市の県庁前広場で香港国家安全維持法制定弾劾の街頭情宣

7・1 道共闘と反戦青年委が香港国安法の施行弾劾の抗議闘争。札幌市の中国総領事館前で怒りのシュプレヒコール

▽北米自由貿易協定（NAFTA）にかわる米優位の新協定（USMCA）が発効

7・2 米議会で「香港自治法案」が成立。政府に香港自治権剥奪に関与した中国高官への制裁を求める

▽**イラン・ナタンツの原子力関連施設が火災で重大被害。イスラエルのサイバー攻撃などで6月26日からの1ヵ月間に同種施設や発電所で火災や爆発11件**

7・4 米の2空母機動部隊が南シナ海で軍事演習。17日にも防空演習を強行。中国海軍が南シナ海・東シナ海・黄海で軍事演習実施。米・中が同時演習

7・7 トランプ政権がWHO脱退を国連に正式通告

7・8 プーチンが電話会談で習近平に香港国安法支持を表明、習は露の改憲を称賛、相互に連携を確認

7・9 中国外相・王毅が「対米関係は国交樹立以来もっとも深刻な試練」と講演、「対米対話」を強調

▽露で反プーチンの極右ハバロフスク州知事フルガルが殺人罪で逮捕。モスクワでは改憲の国民投票の不正に抗議する無許可デモ、132人拘束（15日）

7・10 トルコが宗教和解の象徴とされてきたイスタンブールのアヤソフィアを博物館からモスクにもどす

7・13 **ポンペオが「中国の南シナ海海洋権益の主張は完全に違法」とはじめて声明**

▽台湾軍が全土で中国の武力侵攻阻止の演習（〜17日）

7・14 米がミサイル駆逐艦による南沙諸島周辺での「航行の自由」作戦を実施したと公表

▽英政府が5G導入にあたりファーウェイ排除の方針へ転換。香港との犯罪人引渡し条約停止（20日）

▽中国の4〜6月のGDP成長率は3・2％増と発表

7・17 **トランプが豪首相モリソンとインド太平洋地域**内での建設工事着工を認めず。JR東海が27年開業は困難とコメント（7月3日）

7・3 防衛相・河野が陸上自衛隊木更津駐屯地にオスプレイの1機めを6日暫定配備と発表

7・5 東京都知事選で小池百合子が再選

7・6 新型コロナ感染症対策分科会が初会合、イベント参加人数の上限緩和など政府案了承

▽森友問題で自殺した近畿財務局職員の妻が文書開示延期をめぐり国を提訴

7・7 防衛省がF2戦闘機の後継機の開発計画を自民党国防議連に示す。35年配備をめざす

7・9 米国務副長官ビーガンが来日し朝鮮半島や香港情勢をめぐり協議

7・11 在沖米軍の新型コロナ感染者が7日以降61人に、県知事・玉城が普天間基地、キャンプ・ハンセン閉鎖を米に要求。玉城が米軍関係者の米本土からの異動禁止を要請（15日）

7・14 20年版『防衛白書』を閣議了承。「中国の尖閣領海・領空侵入が執拗」と非難

7・16 **政府が22日開始の「Go To トラベル」キャンペーンへの批判を浴びて東京発着を除外。除外による旅行解約金を一転し政府が補償する方針に転換**（21日）

7・17 政府が「骨太の方針」「成長戦略実行計画」など「政府4計画」を閣議決定。「社会全体のデジタル化」などを謳う

7・20 6月の輸出額が前年同月比26・2％減、20％超は3ヵ月連続

7・2 関西共闘が香港国安法施行弾劾の闘争。大阪市の中国総領事館にたいして抗議行動

7・13 全学連九州地方共闘会議が香港国安法施行弾劾の闘争。福岡市の中国総領事館に怒りの拳

7・15 国学院大学学生総会で大学当局によるサークル新「公認規程」反対の特別決議を採択。コロナ感染拡大に乗じた自治破壊策動を粉砕

7・17 全東共が習近平政権による香港人民弾圧弾劾・安倍政権による敵基地攻撃能力保有策動反対の闘争。名古屋市の自民党愛知県連本部と中国総領事館の前で抗議行動

7・28 わが同盟北陸地方委員会が金沢市香林坊で敵基地攻撃能力保有反対・改憲阻止を訴える街頭情宣

7・31 道共闘が札幌駅前で反戦・改憲阻止をよびかける情宣

〔第58回国際反戦集会にむけて集会実行委員会が「米中冷戦下の戦争勃発の危機を突き破る反戦闘争を創造せよ」と全世界の労働者・人民によびかける海外アピールを発表、各団体におくる。本誌第308号掲載、英文は本号〕

での安全保障上の共同対処を電話会談で合意。米豪2プラス2で中国への「深刻な懸念」表明（28日）
7・21　南北対立で日程を延長したEU首脳会議（17日～）が7500億ユーロの復興基金創設で合意
▽米インド太平洋軍司令官がイージスアショアのグアム配備の意向示す。エスパーが「年内に訪中し米中の意思疎通の仕組みを論議したい」と語る
7・22　米国務省が「知的財産保護」を名目にテキサス州ヒューストンの中国総領事館閉鎖を命令と発表
7・23　ポンペオが「米歴代政権の対中関与政策は誤り、対中の新たな同盟を」。対中戦略の転換が鮮明に
▽中国航空宇宙当局が火星探査機打ち上げを発表
7・24　中国外務省が四川省成都の米総領事館の閉鎖を命令と発表、ポンペオ演説を「冷戦思考」と批判
7・25　米西部シアトルで最大規模の人種差別抗議行動。トランプの連邦政府治安要員派遣に反発広まる
7・26　プーチンが露海軍艦艇に極超音速兵器や原子力魚雷などの新型兵器を搭載すると言明
7・27　米・露が7年ぶりに宇宙安全保障協議を実施
▽比大統領ドゥテルテが「米中双方と対峙せず」と演説
7・29　エスパーが駐独米軍1万2000人削減を発表、うち5600人を欧州他地域に再配置
7・30　4～6月の米成長率は前期比年率換算で過去最悪の32・9%のマイナス
7・31　香港行政当局が9月予定の立法会選挙の1年延期を発表、公安当局が「民主派」活動家を連日逮捕
▽トランプが中国バイトダンス社の動画サイト「TikTok」の米国内使用禁止を表明

7・21　自民党幹事長・二階俊博が都知事・小池と会談し新型インフルエンザ特措法改定を求めた小池に支援すると応じる
7・22　厚生労働省の中央最低賃金審議会が「コロナ禍」を口実に20年度の最低賃金引き上げ額の目安を示さず現行水準の維持をおし通す
7・23　東京都の1日のコロナ感染者が366人、300人超は初。愛知県、埼玉県、福岡県でも最多、全国で981人、2日連続で最多更新
7・26　韓国の自生植物園が「永遠の贖罪」と題し首相・安倍が慰安婦少女に土下座する像を公開すると発表。官房長官・菅義偉が「国際儀礼上許されない」と反発（28日）
7・29　広島への原爆投下後に降った「黒い雨」で放射能被害をうけた84人を広島地裁が被爆者と認定、県・市に健康手帳交付を命じる判決
▽原子力規制委員会が日本原燃六ヶ所村再処理工場の安全対策が新規制基準に適合すると認める審査書を正式決定
7・30　内閣府が12年12月以来の景気拡大が18年10月に終わり後退局面に転じたと認定
7・31　6月の完全失業率2・8%
▽自民党国防部会と安保調査会の合同会議で「相手領域内でミサイルを阻止する能力」を求める政府への提言案を了承
▽防衛省が次期戦闘機の開発体制について日本企業1社と単独契約する方式を採用すると自民党の合同部会で報告

『新世紀』バックナンバー

No.308 2020年9月

〈米中冷戦〉下の革命的反戦闘争を

反戦集会海外へのアピール／香港国家安全維持法弾劾／**特集 新型コロナ感染拡大 労働現場の報告**／困窮学生の切り捨て弾劾／自動車・鉄鋼・電機・NTT・教育戦線の闘い／パンデミック恐慌／「革命論入門」学習／ロッキード反戦闘争

No.307 2020年7月

新型コロナ禍 反安倍政権の炎を

人民見殺しの安倍政権打倒／コロナウイルス出生の闇／政府は休業補償せよ／困窮学生の切り捨て弾劾／奮闘する医療・介護・教育労働者／米の感染爆発／春闘圧殺に抗して―私鉄・自動車・化学・NTT・鉄鋼・郵政／73年横須賀闘争

No.306 2020年5月

安倍の新型コロナ対策の反人民性

無為無策の安倍政権／〈反安倍政権〉の闘いに起て／苦闘する医療労働者／情報統制に狂奔する習近平／決裂したCOP25／日共の綱領改定／20春闘の勝利をかちとれ／2・9労働者集会基調報告／郵政春闘／72年相模原・北熊本闘争

No.305 2020年3月

今こそ反スタ運動の雄飛を！

米のイラン攻撃阻止・日本の中東派兵阻止／軍国主義帝国の最後のあがき／香港人民への武力弾圧弾劾／中国「建国70年」式典／給特法撤廃／日米貿易協定／福島原発核燃料デブリ取出し／原発「共同事業化」／72年動労反戦順法闘争

新 世 紀　第309号（隔月刊）

日本革命的共産主義者同盟 革命的マルクス主義派 機関誌©

発行日　2020年10月10日

発行所　解 放 社

〒162-0041 東京都新宿区早稲田鶴巻町525-3

電話 03-3207-1261　振替 00190-6-742836

URL http://www.jrcl.org/

発売元　有限会社 K K 書 房

〒162-0041 東京都新宿区早稲田鶴巻町525-5-101

電話 03-5292-1210　振替 00180-7-146431

URL http://www.kk-shobo.co.jp/

ISBN 978-4-89989-309-7　C0030